Epstein-Barr virus

EBウイルス
関連胃癌 改訂第2版

編集

柳井秀雄 国立病院機構関門医療センター臨床研究部

西川　潤 山口大学大学院医学系研究科基礎検査学

吉山裕規 島根大学医学部微生物学講座

診断と治療社

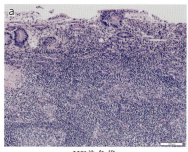
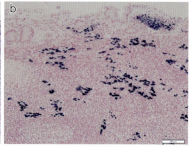

HE染色像　　　　　　　　　　　EBER1-ISH

カラー口絵 1　EBV 関連進行胃癌手術例

a) 低分化腺癌主体で著明なリンパ球浸潤を伴う，リンパ球浸潤癌（carcinoma with lymphoid stroma：CLS）の組織型を呈する

b) ほぼすべての胃癌細胞の核は EBER1 陽性であり，この病変は EBV 関連胃癌（EBV-associated gastric cancer：EBVaGC）である．多数の浸潤リンパ球は EBER1 陰性

[p.3 参照]

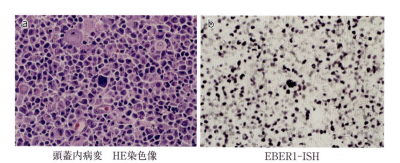

頭蓋内病変　HE染色像　　　　　　　　EBER1-ISH

カラー口絵 2　日和見 B 細胞性リンパ腫（頭蓋内）

a) T 細胞性悪性リンパ腫白血化症例の同種骨髄移植後の免疫抑制療法下で発生した EBV 関連 B 細胞性脳内悪性リンパ腫

b) B 細胞性リンパ腫のリンパ腫細胞の核は EBER1 陽性

[p.3 参照]

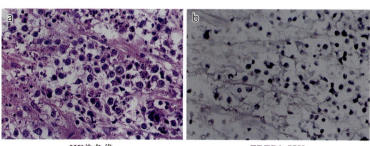

HE染色像　　　　　　　　　　　EBER1-ISH

カラー口絵 3　膿胸関連リンパ腫

肺結核に対する人工気胸術後や結核性胸膜炎に続発する慢性膿胸などに関連した局所の免疫の乱れを背景とする日和見 B 細胞性リンパ腫

b) B 細胞性リンパ腫のリンパ腫細胞の核は EBER1 陽性

[p.4 参照]

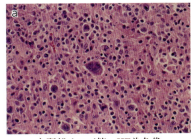
右頸部リンパ節　HE染色像

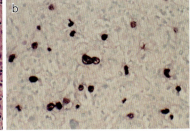
EBER1-ISH

カラー口絵 4　Hodgkin リンパ腫（EBV 陽性例）
EBER1 陽性の多核巨細胞とその背景をなす多数の反応性炎症性細胞
[p.4 参照]

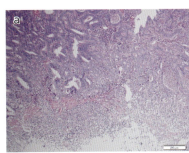
HE染色像

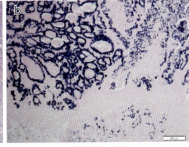
EBER1-ISH

カラー口絵 5　EBV 関連早期胃癌（内視鏡的切除例）
a）腫瘍の表層部では中分化型管状腺癌に相当する不規則分枝癒合増殖腺管の lace pattern がみられ，深部では CLS の組織型を呈する
b）lace pattern の部位も CLS の部位も，胃癌細胞の核はすべて EBER1 陽性．浸潤リンパ球には EBER1 陽性のものはみられない
[p.6 参照]

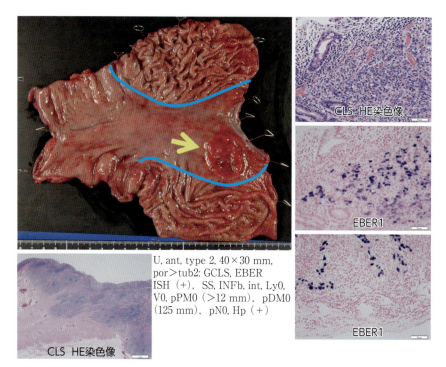

CLS　HE染色像

EBER1

EBER1

CLS　HE染色像

U, ant, type 2, 40×30 mm,
por＞tub2: GCLS, EBER
ISH（＋）, SS, INFb, int, Ly0,
V0, pPM0（＞12 mm）, pDM0
（125 mm）, pN0, Hp（＋）

カラー口絵 6　EBV 関連進行胃癌手術症例

50 歳代男性　胃体上部　2 型. O-1 程度の萎縮性胃炎を背景に発生し, 胃粘膜萎縮境界近傍
の萎縮側に位置している（青線は胃粘膜萎縮境界推定ライン）. ピロリ菌陽性

[p.7 参照]

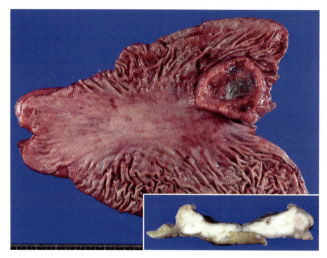

カラー口絵 7　進行癌の肉眼像

EBV 関連胃癌の典型像. 胃上部に発生した 2 型
病変で, 割面（右下）では, 境界明瞭で厚みのあ
る充実性腫瘍を形成している

[p.15 参照]

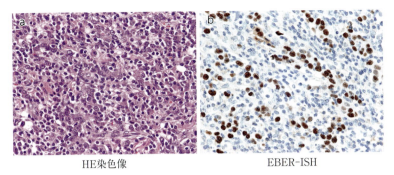

HE染色像　　　　　　　　　　　　　EBER-ISH

カラー口絵8　リンパ球浸潤癌の像を示す EBV 関連胃癌

a) 索状，小胞巣状の癌細胞と，それを上回る数のリンパ球主体の炎症細胞浸潤がみられる

b) すべての癌細胞に EBV-encoded small RNA（EBER）陽性シグナルがみられる．EBER *in situ* hydridization（ISH）は組織標本における EBV 感染同定法のゴールドスタンダードとして用いられる

[p.15 参照]

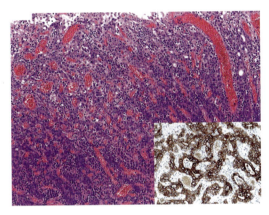

カラー口絵9　Lace pattern の組織像

不規則に吻合し網目状をなし lace 状を呈する EBV 関連胃癌．サイトケラチン（AE1/AE3）免疫染色で lace 状構造をなす癌細胞がより明瞭となる（右下）

[p.16 参照]

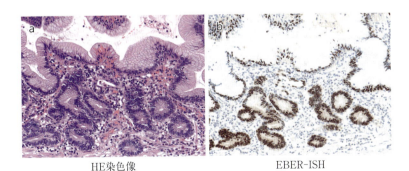

HE染色像　　　　　　　　　　　　　EBER-ISH

カラー口絵10　腺窩上皮分化を示す EBV 関連胃癌

a) 低異型度の例ではこのように非腫瘍性の腺窩上皮との区別が困難な場合もあるが，軽度の核異型や上皮内リンパ球浸潤がやや目立つ

b) EBER 陽性シグナルがすべての上皮にみられ，EBV 関連胃癌であることが確認できる

[p.17 参照]

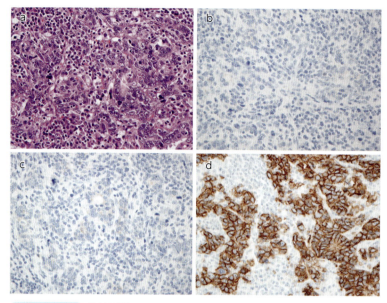

カラー口絵 11　粘液形質 null 型の EBV 関連胃癌

a）HE 染色像．リンパ球浸潤癌の組織像を示す．本例は免疫染色では胃，腸型マーカーともに陰性で null 型粘液形質を示す

b，c）ここでは MUC5AC（b），と MUC6（c）免疫染色像を示す

d）CLDN18 免疫染色．粘液形質は null 型であるが，胃型接着因子の CLDN18 は陽性を示し，胃型形質が保持されている

[p.17 参照]

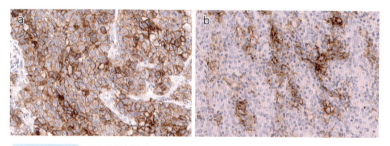

カラー口絵 12　EBV 関連胃癌における PD-L1 免疫染色像

a）腫瘍細胞が PD-L1 陽性を示す EBV 関連胃癌．腫瘍細胞の細胞膜がびまん性に PD-L1 陽性を示す

b）免疫細胞が PD-L1 陽性を示す EBV 関連胃癌．リンパ球や組織球の細胞膜に PD-L1 陽性像が認められるが，腫瘍細胞は PD-L1 陰性

[p.19 参照]

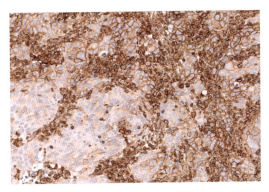

カラー口絵 13 HLA class Ⅰ発現が部分的に欠損した
EBV 関連胃癌

左下の腫瘍領域で HLA class Ⅰ発現欠損がみられる．その他領域の腫瘍細胞，および間質細胞では HLA class Ⅰ発現が保たれている

[p.19 参照]

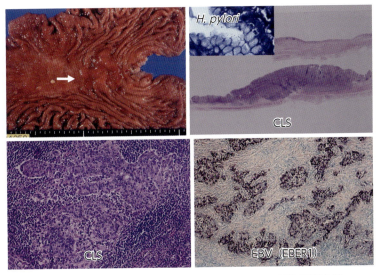

カラー口絵 14 胃の上部（胃体上部小弯）の EBV 関連 3 型進行胃癌症例

50 歳代男性．CLS の組織型で，ほぼすべての腫瘍細胞が EBER1 陽性であり，EBVaGC 典型症例．ピロリ菌陽性

〔Yanai H, et al. Endoscopic and pathologic features of Epstein-Barr virus-associated gastric carcinoma. Gastrointest Endosc 1997；45：236-242. より改変〕

[p.22 参照]

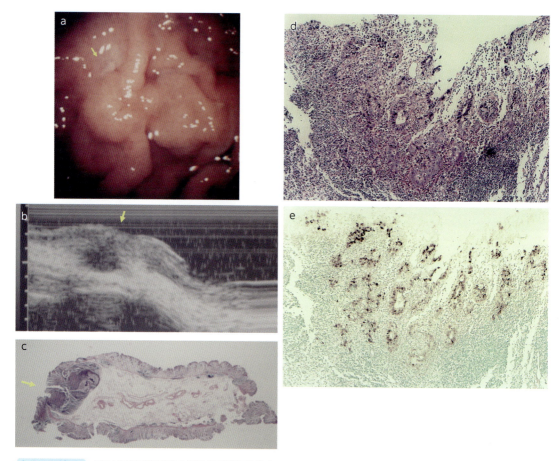

カラー口絵 15 EBV 関連早期胃癌内視鏡的粘膜切除術（endoscopic mucosal resection：EMR）例

a）胃体上部の SMT 様の 0-Ⅱa 型病変
b）超音波内視鏡では，第 3 層（SM）内に低エコー腫瘍
c）胃生検では分化型であり EMR が実施された
d, e）CLS の組織型の EBER1 陽性 EBV 関連 SM 癌であった．外科手術を追加された

〔Yanai H, et al. Endoscopic and pathologic features of Epstein-Barr virus-associated gastric carcinoma. Gastrointest Endosc 1997；45：236-242. より改変〕

[p.23 参照]

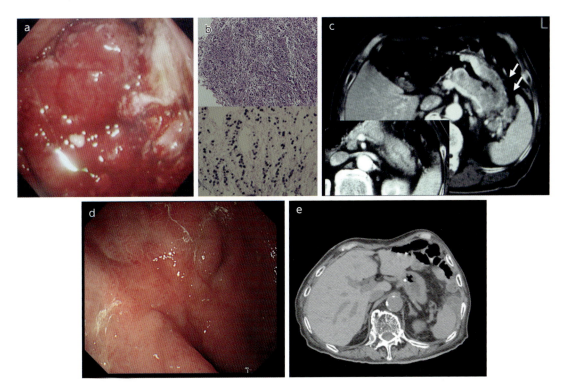

カラー口絵 16 EBV 関連手術不能進行胃癌化学療法長期生存例

80 歳代男性.

a）胃癌切除後の残胃大弯に発生した生検 Group V（tub2）の 3 型進行胃癌

b）後日の胃生検切片 EBER1-ISH にて胃癌細胞核に EBER1 陽性の EBVaGC であった

c）脾門部リンパ節転移・膵浸潤を伴い手術不能と判断された．腹膜播種はなし

d, e）手術不能進行胃癌として，2004 年 4 月より化学療法を開始した．2012 年の胃内視鏡検査では，胃癌病変はほぼ消失していたが，生検では胃癌組織がみられた．CT では標的病変は消失していた

〔Yanai H, et al. Long-term survival of patient with Epstein-Barr virus-positive gastric cancer treated with chemotherapy：case report. J Gastrointest Cancer 2016；47：107-110. より改変〕

[p.25 参照]

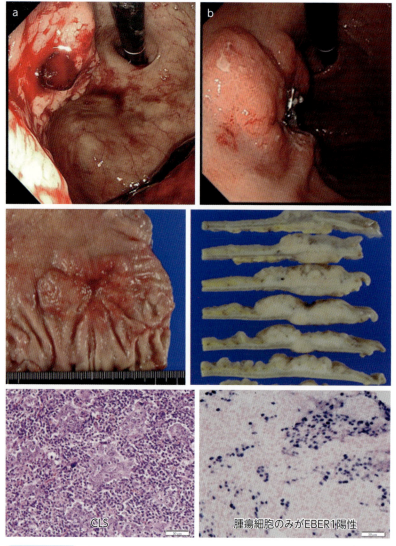

CLS

腫瘍細胞のみがEBER1陽性

カラー口絵 17 吐血で救急搬送された EBVaGC の一例

70歳代女性

a) 緊急内視鏡検査で胃体上部後壁に滲出性出血を伴う腫瘤を認め，クリップで止血した

b) 2日後の上部消化管内視鏡検査像では，陥凹主体の病変ながら周囲は SMT 様に隆起している．EBVaGC を強く疑った．生検 Group5 (por, CLS)．後日，胃全摘

病理結果：gastric carcinoma with lymphoid stroma（CLS），EBER1＋．U，Post，Type 3，55 × 35 mm，pT3 (SS)，int，INFb，Ly0 (D2-40)，V1 (EVG)，pPM0，pDM0，pN0

SS，V1 ながら明らかな転移病変なし．術後補助化学療法は，悪心のため3日間で中止．術後約2年半以上，再発なく健在

[p.26 参照]

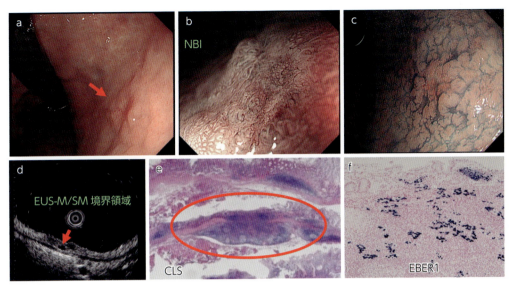

カラー口絵 18 ESD で加療した EBVaGC 症例（SM2, Ly0, 一括切除）

70 歳代男性

a-d）胃体中部　0-Ⅱc

e，f）ESD 一括切除（por（CLS），SM2）

11 × 7 mm，por：CLS（EBER＋），SM2（0.8 mm），Ly0，V0，HM0，VM0

低分化腺癌主体 CLS の SM2 癌にて追加外科手術を勧めるも希望されず，経過観察中．6 年間以上再発なし．

将来の ESD 適応拡大の候補か？

〔Yanai H, et al. Epstein-Barr virus-associated early gastric cancer treated with endoscopic submucosal dissection：a possible candidate for extended criteria of endoscopic submucosal dissection. Intern Med 2019；58：3247-3250.　より改変引用〕

[p.27 参照]

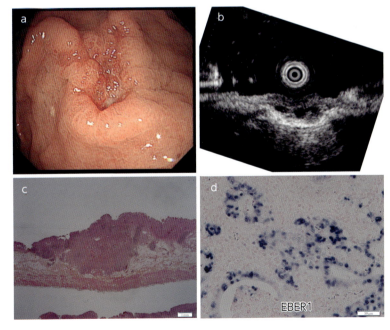

カラー口絵 19 EUS での粘膜下層の低エコー腫瘤像を契機に EBVaGC を疑い，診断し得た症例

50 歳代男性．ピロリ菌除菌成功後で胃粘膜萎縮は O2

他院検診 EGD にて胃体上部後壁の胃粘膜萎縮境界近傍の不整形発赤陥凹からの生検で Group5（tub1）

a，b）EUS にて第 3 層（粘膜下層に相当）に低エコー腫瘤を認め，粘膜下層深部浸潤を伴う EBVaGC を強く疑った

c，d）外科手術の結果，tub2 主体（リンパ球浸潤が目立つ），EBER1 陽性，pT1b（SM2），Ly0，V1a で，リンパ節転移はみられなかった

〔協力：村田建一郎先生〕

[p.27 参照]

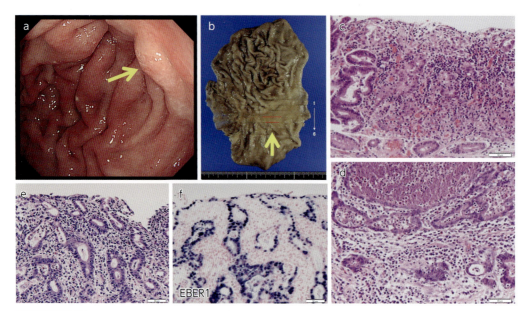

カラー口絵 20 内視鏡像（残胃，軽度隆起）を契機に EBV を検索した症例

70 歳代男性

a, b）内視鏡像（残胃，軽度隆起）を契機に EBER1 を検索，生検は Group5（tub2）

c, d）手 術 結 果：18 × 13 mm, tub2 ＞ por, CLS, SM1, pT1b1, INFa, med, Ly0, V0, pPM0（28 mm），pDM0（50 mm），pN0

e, f）中分化型管状腺癌，lace pattern の像．EBER1 陽性

[p.28 参照]

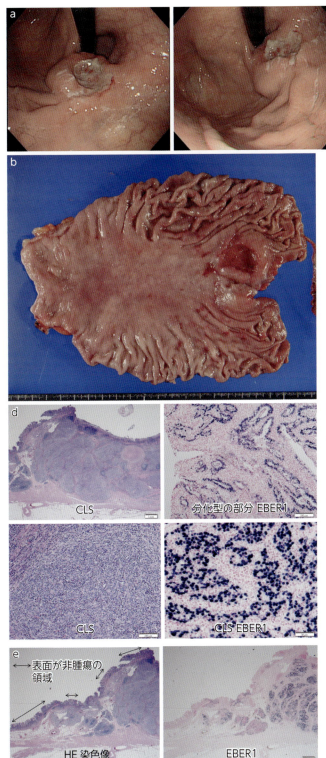

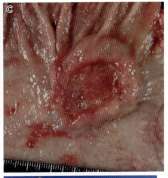

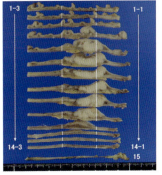

CLS

分化型の部分 EBER1

CLS

CLS EBER1

← 表面が非腫瘍の
領域

HE 染色像

EBER1

カラー口絵 21 胃の上部（噴門近傍）の EBV
関連 2 型進行胃癌症例

70 歳代女性

a) 上部消化管内視鏡検査では，噴門近傍の小弯
側前壁よりに，SMT 様の部位および境界不明
瞭部位を有する 2 型腫瘍がみられる

b) 胃切除標本．胃の上部（噴門近傍）の 2 型病
変．gastric carcinoma with lymphoid stroma
（CLS），por1 ＞ tub2 ＞ tub1，MP，pT2，
Ly0，V0，pN0，EBER（＋），ピロリ菌（＋），
HER2 score：1 ＋

c) 腫瘍は，胃粘膜萎縮境界近傍に存在し，切除
標本割面では白色調の腫瘍として観察され，
辺縁では SMT 様に発育している

d) 割面で白色調腫瘍の部分は，リンパ球浸潤に
富む未分化型腺癌（CLS）により形成されて
いる．腫瘍表面には分化型の部分が残存し，
深部の未分化型の部分へ向かって分化度の低
下がみられる．ほぼすべての胃癌細胞の核は
EBER1 陽性である

e) CLS 腫瘍の一部は，非腫瘍上皮で覆われてお
り，SMT 様の形態をとっている

〔協力：小畑伸一先生，村上知之先生，古谷卓三先生〕

[p.29 参照]

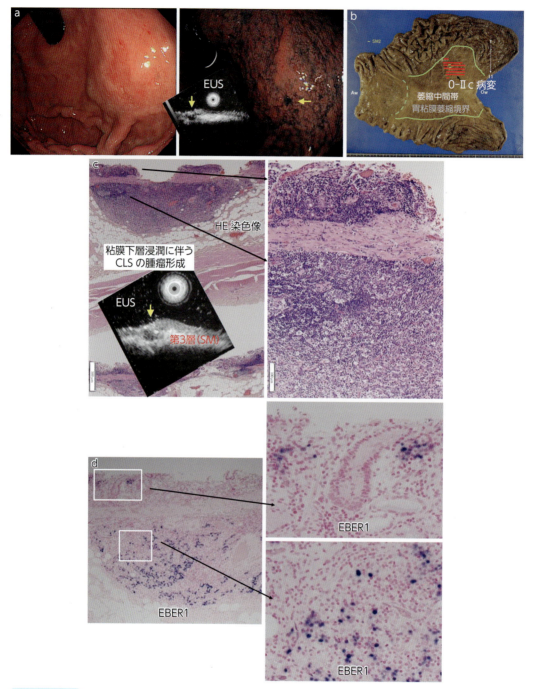

カラー口絵 22 EBV 関連 0-Ⅱc 型早期胃癌症例

70 歳代男性

a) 胃の上部（胃体上部前壁）の，径 3 cm ほどで境界不明瞭な発赤調軽度陥凹性病変．中央に小びらんを伴う 0-Ⅱc 型．EUS では，第 3 層（粘膜下層に相当）に，深さ 2 mm の低エコー腫瘤がみられる．生検 Group5（tub2）

b) 胃切除標本．胃の上部（胃体上部前壁）の胃粘膜萎縮境界近傍の 0-Ⅱc 型病変．34 × 34 mm，gastric carcinoma with lymphoid stroma（CLS），por1 > tub2，SM2，pT1b，Ly0，V0，pN0，EBER（+），ピロリ菌（+）

c) EUS にて低エコー腫瘤のみられた部位には，腫瘍の粘膜下層浸潤に伴い著明なリンパ球浸潤により形成された CLS の腫瘤がみられる

d) 粘膜内および粘膜下層の胃癌細胞は，ほぼすべて EBER1 陽性である

〔協力：帆足誠司先生，村上知之先生，古谷卓三先生〕

[p.30 参照]

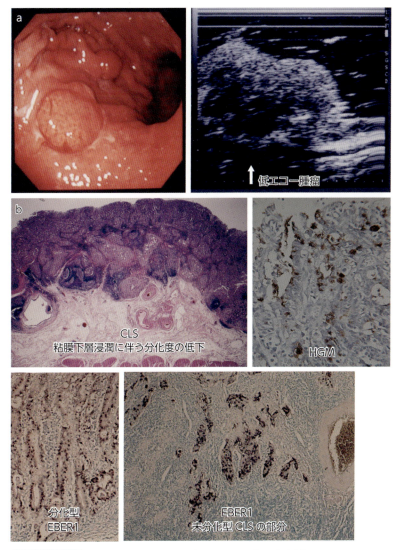

図中ラベル: 低エコー腫瘍　CLS　粘膜下層浸潤に伴う分化度の低下　HGM　分化型 EBER1　EBER1 未分化型 CLS の部分

カラー口絵 23　60 歳代男性，EBV 関連 0-Ⅱa 型早期胃癌症例

a）上部消化管内視鏡検査では，胃体中部大弯の，後壁寄りに，0-Ⅱa 型病変がみられる．EUS では，腫瘍深部の第 3 層（粘膜下層に相当）に，一見濾胞性リンパ腫様の低エコー腫瘍がみられる

b）腫瘍の表層部は分化型で胃型粘液（human gastric mucin）を有しており，深部で分化度の低下を認め著明なリンパ球浸潤を伴う未分化型の腺癌（CLS）の組織型を呈していた

〔Nakamura Y, et al. Hepatogastroenterol 2005；52：1066-1070. より改変引用〕

[p.32 参照]

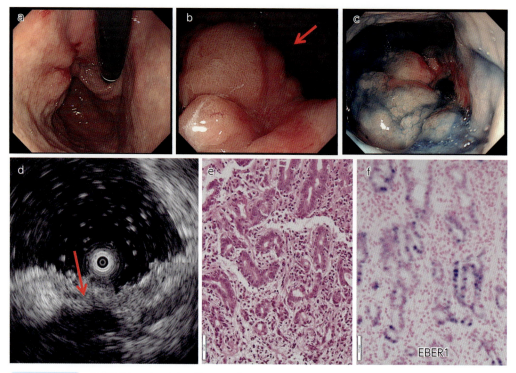

カラー口絵 24 内視鏡的に EBVaGC を疑った手術不能進行胃癌症例

70 歳代男性. 噴門部近傍 3 型 生検 Group5（tub2）

a-d）胃の上部, 周囲に SMT 様隆起を伴い, 深部に低エコー腫瘤を見るため, EBVaGC を強く疑った

e, f）生検は分化型であったが, 内視鏡的に EBVaGC を強く疑い, 生検切片で EBER1 を検索し陽性であった

cT4a, N2, M1（#16）, cStage IV, 手術不能進行胃癌ながら EBVaGC であったため, 化学療法の効果を期待した. 化学療法（S1 + CDDP 9 か月）で転移リンパ節が縮小し手術（conversion therapy）施行, tub2, pT4a（SE）, N+. 術後化学療法で約 1 年間は健在であったが, 初診から約 2 年 3 か月後に癌性腹膜炎にて原病死された

〔協力：矢原　昇先生, 林　弘人先生〕

[p.35 参照]

はじめに

　本書を手に取ってくださいました皆さまへ，心より感謝申し上げます．多くの読者の方々にとって，EB ウイルス関連胃癌は，「存在は知っているがよく解らない」疾患ではないかと拝察致します．

　EB ウイルス関連胃癌は，The Cancer Genome Atlas Network による胃癌の 4 分類のうちの 1 つを占める DNA メチル化に富む特徴的なサブタイプです．専門の執筆者の皆さまのお力をお借りして，編集者一同，知恵を絞り現時点で判明している EB ウイルス関連胃癌の全貌を本書にお示しできますよう努力致しました．

　2016 年に本書の初版を出版してから 6 年が経過し，時代は平成から令和へと移り，私たちは新型コロナウイルス感染症の大波も経験致しました．この間，基礎研究者の皆さまの粘り強いご努力により，EB ウイルスの胃上皮細胞への感染によりがん化へ至る分子機序について，多くの新知見が報告されています．また，臨床では，免疫チェックポイント阻害剤による免疫療法が胃癌の標準治療へ定着し EB ウイルス関連胃癌への効果も期待されています．低侵襲の内視鏡的胃粘膜下層剥離術の EB ウイルス関連早期胃癌への適応も議論されるようになりました．さらに，新規の光免疫療法の EB ウイルス関連胃癌への応用も待たれるところです．

　本書改訂第 2 版は，臨床を担当される読者の皆さまの便宜を図るため，初版とは異なり，Ⅰ　EB ウイルス関連胃癌の臨床，Ⅱ　EB ウイルス関連胃癌の基礎研究，Ⅲ　ヒト腫瘍ウイルスとしての EB ウイルス，の順に構成致しました．基礎研究者の皆さまには，逆にⅢ，Ⅱ，Ⅰの順でお読みいただくのがよいかもしれません．

　編集者らは，当初，髙田賢藏北海道大学名誉教授（当時，山口大学教授）のお導きのもと，ウイルス学と消化器病学との境界の隘路から未開の荒野に足を踏み入れる覚悟で EB ウイルス関連胃癌の研究に参入しました．しかし，狭い狭い領域と思ったその先には，思いもかけず，全身にわたる内科学・免疫学・ウイルス学の再統合へと繋がる広々とした世界が開けておりました．

　編集者一同，本書が，EB ウイルス関連胃癌の臨床のみならず，その病態と不可分の免疫学やウイルス学へと読者の皆さまを誘う足掛かりとなりますことを，祈念致しております．

2022 年 9 月

編集者を代表して：
国立病院機構関門医療センター臨床研究部

柳井秀雄

初版の序文

　本書は，髙田賢藏北海道大学名誉教授のご指導の下での，編集者一同ならびに共同研究者諸氏の，山口大学や北海道大学での20年にわたる「EBウイルス関連胃癌」にかかわる苦しくも楽しい探求の成果を纏めたものです．編集者らの手に余る部分につきましては，各分野の権威の皆様のご助力をいただきました．執筆者の皆様に心より感謝申し上げます．

　去る平成27年11月には，本書の上梓を待たずして，わが国の消化器内視鏡医学発展の功労者の一人であられ，慢性胃炎の本態を「繰り返す表層性変化による萎縮性変化の進展」と喝破されました竹本忠良　山口大学名誉教授がご逝去されました．その表層性変化の正体が，竹本教授ご自身がわが国での研究に先鞭をつけられたピロリ菌による慢性活動性胃炎であることが明らかとなりましたことは，周知の事項です．本書は，この慢性活動性胃炎を舞台として，隠れていたもう一つの新たな役者「EBウイルス」が，胃癌の病態に如何なる役割を演じているのかに迫ったものです．本書を，竹本教授にご笑覧いただくことが叶わなかったことが，残念です．

　EBウイルスは，ほぼすべての成人が保有しさまざまな病態に関与していますが，その消化管における感染の実態や病的意義は，いまだ不明瞭です．胃癌の診断治療や病態解明に日々取り組んでおられる臨床医や研究者の皆様にとりましても，EBウイルス関連胃癌は，興味はあるものの少し取りつきにくい対象であったかと思われます．本書により，読者の皆様へ，これまでに解明されましたEBウイルス関連胃癌の病像を，わかりやすくお示しできれば幸いです．

　編集者一同，本書の上梓が，多くの優れた臨床医・研究者の皆様のEBウイルス関連胃癌研究への参入の呼び水となり，皆様のお力で，EBウイルス関連胃癌のみならず現時点でEBウイルスの関与が不明瞭ないくつかの消化器疾患の病態の解明や治療法の進歩が得られますことを，心より期待しております．

　最後に，本書の作成に多大なご協力をいただきました，診断と治療社の皆様に，厚く謝意を表します．

2016年7月

編集者を代表して：
国立病院機構関門医療センター臨床研究部
柳井秀雄

執筆者一覧

●編集

柳井秀雄	国立病院機構関門医療センター臨床研究部
西川　潤	山口大学大学院医学系研究科基礎検査学
吉山裕規	島根大学医学部微生物学講座

●分担執筆者（執筆順）

柳井秀雄	国立病院機構関門医療センター臨床研究部
清水則夫	東京医科歯科大学再生医療研究センター
郡山千早	鹿児島大学大学院医歯学総合研究科疫学・予防医学
秋葉澄伯	鹿児島大学大学院医歯学総合研究科疫学・予防医学
牛久哲男	東京大学大学院医学系研究科人体病理学・病理診断学
岩﨑晶子	東京大学大学院医学系研究科人体病理学・病理診断学
阿部浩幸	東京大学大学院医学系研究科人体病理学・病理診断学
牛久　綾	東京大学大学院医学系研究科総合ゲノム学
西川　潤	山口大学大学院医学系研究科基礎検査学
大塩香織	東京大学大学院医学系研究科消化器内科学
辻　陽介	東京大学大学院医学系研究科消化器内科学
藤城光弘	東京大学大学院医学系研究科消化器内科学
久保田洋平	聖マリアンナ医科大学病院臨床腫瘍学
設樂紘平	国立がん研究センター東病院消化管内科
加藤卓也	Molecular Imaging Branch, NCI/NIH
小林久隆	Molecular Imaging Branch, NCI/NIH
深山正久	旭中央病院遠隔病理診断センター
小野村大地	島根大学医学部微生物学講座
Afifah Fatimah	島根大学医学部微生物学講座
吉山裕規	島根大学医学部微生物学講座
松坂恵介	千葉大学医学部附属病院病理部・病理診断科
金田篤志	千葉大学大学院医学研究院分子腫瘍学
高原　幹	旭川医科大学耳鼻咽喉科・頭頸部外科
神田　輝	東北医科薬科大学医学部
南保明日香	長崎大学高度感染症研究センター
飯笹　久	島根大学医学部微生物学講座
田村結実	広島大学大学院医系科学研究科免疫学
保田朋波流	広島大学大学院医系科学研究科免疫学

目　次

カラー口絵 —— ii

はじめに ——————————————————————————————————————— 柳井秀雄　xvii

初版の序文 ————————————————————————————————————— 柳井秀雄　xviii

執筆者一覧 —— xix

I　EB ウイルス関連胃癌の臨床

1　EB ウイルス関連腫瘍としての EB ウイルス関連胃癌 ———————— 柳井秀雄，清水則夫　2

はじめに —— 2

EBV の感染と伝染性単核球症，EBV 関連日和見 B 細胞性リンパ腫 ——————————— 2

膿胸関連リンパ腫・Burkitt リンパ腫・Hodgkin リンパ腫 —————————————————— 3

EBV の B 細胞以外への感染 ———————————————————————————————————— 5

EBV 関連腫瘍としての EBV 関連胃癌の発見 ————————————————————————— 5

EBV 関連胃癌の概観 ——————————————————————————————————————— 6

胃上皮細胞への EBV の感染と発がん ———————————————————————————— 6

おわりに —— 8

2　EB ウイルス関連胃癌の疫学 ———————————————————— 郡山千早，秋葉澄伯　10

EB ウイルス感染の自然史と EB ウイルス関連胃癌 ————————————————————— 10

地域分布と経年変化 ——————————————————————————————————————— 10

病理学的・臨床的特徴 —————————————————————————————————————— 10

人口学的特徴 —— 11

生活習慣・生活環境 ——————————————————————————————————————— 11

ヘリコバクターピロリ菌感染などとの関連 ———————————————————————————— 12

EBV の感染時期 ——— 12

ウイルスの再活性化とそのバイオマーカー ——————————————————————————— 12

EBV のサブタイプ —— 12

3　EB ウイルス関連胃癌の病理像（通常病理，HE 像・粘液形質など）

——————————————————————————— 牛久哲男，岩﨑晶子，阿部浩幸，牛久　綾　14

肉眼像 —— 14

組織像 —— 15

粘液形質 ——— 16

細胞接着因子 —— 18

腫瘍免疫環境 —— 18

4 EB ウイルス関連胃癌の臨床像 ―――――――――――――――――― 柳井秀雄，西川　潤　21
　はじめに ―――――――――――――――――――――――――――――――― 21
　実臨床における EBV 関連胃癌の経験 ――――――――――――――――――― 22
　EBV 関連胃癌病変の組織像とリンパ球浸潤の臨床像へ与える影響 ――――― 23
　EBV 関連胃癌と抗 EBV 抗体系・血漿 EBV DNA ――――――――――――― 28
　EBV 関連胃癌の存在部位と肉眼像 ―――――――――――――――――――― 31
　EBV 関連胃癌と背景の慢性萎縮性胃炎 ―――――――――――――――――― 31
　残胃における EBV 関連胃癌 ―――――――――――――――――――――――― 33
　EBV 関連胃癌病変の内視鏡診断 ―――――――――――――――――――――― 34
　EBV 関連胃癌病変の EUS などによる診断の可能性 ――――――――――――― 35
　EBV 関連胃癌の予後 ―――――――――――――――――――――――――――― 36
　非癌胃粘膜における EBV とピロリ菌 ――――――――――――――――――― 36
　おわりに ―――――――――――――――――――――――――――――――― 37

5 EB ウイルス関連胃癌に対する内視鏡的粘膜下層剝離術の可能性
　　　　　　　　　　　　　　　　　　　　　　大塩香織，辻　陽介，藤城光弘　40
　はじめに ―――――――――――――――――――――――――――――――― 40
　内視鏡的特徴 ―――――――――――――――――――――――――――――― 40
　内視鏡治療適応 ――――――――――――――――――――――――――――― 40
　粘膜下層への浸潤を伴う EBV 関連胃癌（pT1b-EBVaGC）の LNM リスク ―― 41
　内視鏡治療の適応拡大 ―――――――――――――――――――――――――― 42
　おわりに ―――――――――――――――――――――――――――――――― 42

6 癌化学療法と EB ウイルス関連胃癌 ――――――――――――― 久保田洋平，設樂紘平　44
　はじめに ―――――――――――――――――――――――――――――――― 44
　EBV 関連胃癌の臨床病理学的・分子学的特徴および免疫チェックポイント阻害剤の効果との関連 ―― 45
　EBV 関連胃癌と化学療法および免疫チェックポイント阻害剤の効果 ―――――― 46

7 EB ウイルス関連胃癌に対する様々な新たな治療法の試み ――――――――― 西川　潤　50
　はじめに ―――――――――――――――――――――――――――――――― 50
　免疫チェックポイント阻害剤 ――――――――――――――――――――――― 50
　Epigenetic 治療（脱メチル化剤など） ―――――――――――――――――――― 51
　EBV 関連胃癌の抗悪性腫瘍薬感受性 ――――――――――――――――――― 52
　EBV 遺伝子に対する治療 ―――――――――――――――――――――――――― 52

8 特別寄稿　光免疫療法による胃癌治療への期待（NIR-PIT of gastric cancer）
　　　　　　　　　　　　　　　　　　　　　　　　　　　加藤卓也，小林久隆　54
　はじめに ―――――――――――――――――――――――――――――――― 54
　NIR-PIT の概要 ――――――――――――――――――――――――――――― 54
　NIR-PIT と光線力学療法との違い ―――――――――――――――――――――― 55
　頭頸部腫瘍に対する光免疫療法の現状 ―――――――――――――――――――― 55

　　胃癌に対する NIR-PIT の応用 ——————————————————————— 56

　　EBV 関連胃癌に対する NIR-PIT の期待と展望 ———————————— 57

　　おわりに ——————————————————————————————————————— 59

II　EB ウイルス関連胃癌の基礎研究

1　EB ウイルス関連胃癌—発生から進展まで—　　　　　　深山正久　62

　　EBV 関連胃癌発生過程の病理形態学 ——————————————————— 62

　　EBV 関連胃癌の炎症・感染・発がんシーケンス ———————————— 65

　　EBV 関連胃癌の発生過程の研究を振り返って ————————————— 67

2　EB ウイルスの胃上皮細胞への感染と不死化　　小野村大地，Afifah Fatimah，吉山裕規　68

　　はじめに ——————————————————————————————————————— 68

　　上皮細胞への EBV の感染 ——————————————————————————— 68

　　EBV 陽性胃上皮細胞 ——————————————————————————————— 69

　　組換えウイルスを用いた EBV 陽性胃上皮細胞の作成 ———————— 69

　　EBV 関連胃癌のはじまり ——————————————————————————— 70

　　EBV 感染細胞の腫瘍化のメカニズム ———————————————————— 71

　　おわりに ——————————————————————————————————————— 72

3　EB ウイルス関連胃癌と宿主細胞ゲノムメチル化　　松坂恵介，金田篤志　74

　　はじめに ——————————————————————————————————————— 74

　　DNA メチル化とは ——————————————————————————————— 74

　　胃癌臨床検体における DNA メチル化形質（エピジェノタイプ）———— 74

　　EBV 関連胃癌における第 3 のエピジェノタイプ ——————————— 75

　　EBV 関連胃癌における DNA メチル化形質の特徴 —————————— 75

　　In vitro の EBV 感染実験系による DNA メチル化誘導パターンの解析 —— 76

　　おわりに ——————————————————————————————————————— 77

III　ヒト腫瘍ウイルスとしての EB ウイルス

1　全身における EB ウイルス関連腫瘍概論　　　　　　　高原　幹　80

　　はじめに ——————————————————————————————————————— 80

　　Burkitt リンパ腫（BL）————————————————————————————— 80

　　Hodgkin リンパ腫（HL）———————————————————————————— 80

　　鼻性 NK/T 細胞リンパ腫（NNKTCL）———————————————————— 81

　　上咽頭癌（NPC）————————————————————————————————— 81

　　慢性活動性 EBV 感染症（CAEBV）—————————————————————— 81

　　移植後リンパ増殖性疾患（PTLD）—————————————————————— 82

　　おわりに ——————————————————————————————————————— 82

2 EB ウイルス感染の基礎知識—代表的な細胞株とウイルス遺伝子発現様式— —— 神田 輝 84
　EB ウイルスの感染対象細胞とその仕組み ———————————————— 84
　EBV ゲノムとウイルスサブタイプ ———————————————————— 84
　代表的な EBV 感染細胞株 ———————————————————————— 85
　潜伏感染遺伝子・発現様式による分類 —————————————————— 86
　ウイルス感染細胞における再活性化 ——————————————————— 89
　おわりに ——————————————————————————————— 89

3 EB ウイルスによる B リンパ球不死化機構 —————————— 南保明日香 90
　はじめに ——————————————————————————————— 90
　EBV による B リンパ球不死化 ————————————————————— 90
　B リンパ球不死化における EBV 遺伝子発現 —————————————— 90
　EBV による B リンパ球不死化機構 ——————————————————— 91
　おわりに ——————————————————————————————— 93

4 EB ウイルス感染とマイクロ RNA ——————————————— 飯笹 久 95
　はじめに ——————————————————————————————— 95
　EBV 由来 miRNA の発見 ———————————————————————— 95
　BART miRNA による潜伏感染維持 ——————————————————— 96
　BART miRNA による免疫機構からの回避 ——————————————— 96
　BART miRNA による腫瘍悪性化 ———————————————————— 98
　EBV 関連腫瘍における BART miRNA の欠損 —————————————— 98
　まとめ ———————————————————————————————— 98

5 EB ウイルス関連腫瘍における免疫治療 ————————— 田村結実, 保田朋波流 100
　はじめに ——————————————————————————————— 100
　EBV 潜伏感染と免疫監視 ——————————————————————— 100
　がん治療標的としての免疫チェックポイント分子 ———————————— 101
　EBV 関連腫瘍における免疫チェックポイント阻害剤 —————————— 102
　EBV 関連腫瘍における特異的 T 細胞療法 ——————————————— 103
　今後の展望と課題 —————————————————————————— 103

　　おわりに —————————————————————————————— 107
　　索　引 —————————————————————————————— 108

I

EB ウイルス
関連胃癌の臨床

1 EBウイルス関連腫瘍としてのEBウイルス関連胃癌

国立病院機構関門医療センター臨床研究部[*1], 東京医科歯科大学再生医療研究センター[*2]
柳井秀雄[*1], 清水則夫[*2]

はじめに

Epstein-Barrウイルス(Epstein-Barr virus: EBV)は, 1964年にEpsteinらによりBurkittリンパ腫(Burkitt lymphoma: BL)の培養細胞から発見されたDNAウイルスであり, ヘルペスウイルス科に属し, 約170 kbpのゲノムを有している. ほぼすべての成人は100万個に1個程度のB細胞にEBVを潜伏感染状態で保有しており, その感染は健常人では大きな病的意義を示さずに経過する. しかし, EBVは, T細胞を除いた細胞性免疫の圧力のない培養条件下ではB細胞を不死化する(株化, 永続する細胞株となる)能力を有している. EBVは, 臨床的にも免疫抑制状態での日和見B細胞性リンパ腫や上咽頭癌および胃癌の一部を含む全身の多彩な腫瘍に関連する「がんウイルス」である(本項では上皮性のみならず非上皮性を含み悪性腫瘍を「がん」と表記した. EBVのウイルス学的詳細については, p.84「EBウイルス感染の基礎知識−代表的な細胞株とウイルス遺伝子発現様式−」参照).

本項で述べるように, EBV関連腫瘍の多くには, EBVが核内に潜伏感染した腫瘍細胞とその周囲を取り囲む反応性の炎症細胞浸潤による炎症類似の組織像という共通の特徴がみられる. EBV関連胃癌(EBV-associated gastric cancer: EBVaGC)は, このような全身の一連のEBV関連腫瘍の胃に発生したものとして理解される.

EBVの感染と伝染性単核球症, EBV関連日和見B細胞性リンパ腫

EBVが唾液などを介してヒトからヒトへ感染することは, よく知られている. 感染元のヒトでは, 扁桃などのEBV潜伏感染(latent infection)B細胞において, 一定の割合で潜伏感染状態から宿主細胞を壊してEBV粒子を放出する溶解感染(lytic infection)への移行が生じ, 感染元個体から唾液などに混じたEBV粒子の体外への放出が起こる. 感染先の個体では, EBVは, 感染レセプターであるCD21を有するB細胞に選択的に感染する. B細胞への感染直後にはすべての潜伏感染関連遺伝子産物を産生する潜伏感染様式(latency Ⅲ)をとるものと思われるが, その状態では細胞傷害性T細胞に容易に感知され排除される. このため, 宿主のDNAメチル化酵素を利用して自らのプロモーターのメチル化を行い細胞傷害性T細胞の標的とならないEBV-determined nuclear antigen 1(EBNA1)のみを表出する潜伏感染様式(latency Ⅰ)へ移行し, 宿主細胞核内の染色体近傍で環状DNAのプラスミドの状態で安定する. 宿主細胞の増殖時には, 宿主細胞の染色体と同様に振る舞い, 娘細胞の核に親細胞とほぼ同数分与される.

組織学的なEBV感染細胞の検出には, 近年ではEBV encoded small RNA1(EBER1)を標的とした *in situ* hybridization(ISH)法が用いられている[1](図1). EBERは, EBV感染細胞の核に多数(10の5〜7乗)存在するポリAをもたず蛋白をコードしない小さなRNAであり, 核内蛋白と結合しておりRNaseの影響を受けにくい. また, 感染細胞の核内に多数のEBER1が安定して存在するため, 通常の病理学的検査に用いる生検や手術検体のホルマリン固定パラフィン包埋組織標本においてもEBER1-ISH法でのEBV感染細胞検出の感度は高い. 各種の特殊染色と同様に, 通常のホルマリン固定組織標本での検査会社へのEBER1-ISHの依頼も可能である.

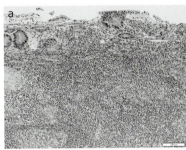 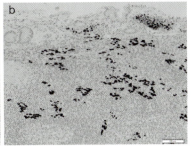

HE染色像　　　　　　　　　　　　EBER1-ISH

図1 EBV 関連進行胃癌手術例

a）低分化腺癌主体で著明なリンパ球浸潤を伴う，リンパ球浸潤癌（carcinoma with lymphoid stroma：CLS）の組織型を呈する

b）ほぼすべての胃癌細胞の核は EBER1 陽性であり，この病変は EBV 関連胃癌（EBV-associated gastric cancer：EBVaGC）である．多数の浸潤リンパ球は EBER1 陰性

➡カラー口絵 1 参照

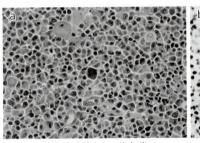 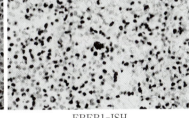

頭蓋内病変　HE染色像　　　　　　　　EBER1-ISH

図2 日和見 B 細胞性リンパ腫（頭蓋内）

a）T 細胞性悪性リンパ腫白血化症例の同種骨髄移植後の免疫抑制療法下で発生した EBV 関連 B 細胞性脳内悪性リンパ腫

b）B 細胞性リンパ腫のリンパ腫細胞の核は EBER1 陽性

➡カラー口絵 2 参照

　EBV 初感染は，幼年期に生じた場合はおおむね無症状に経過するが，思春期以降の初感染では時に EBV 感染 B 細胞の増殖とこれに対する EBV 特異的細胞傷害性 T 細胞の反応性の増殖を招き，発熱や網内系の腫脹を伴う伝染性単核球症を発症する．伝染性単核球症は T 細胞の細胞性免疫の圧力による EBV 感染 B 細胞の増殖の停止により一過性の経過で軽快し，その後 EBV は，100 万個に 1 個程度のメモリーB 細胞に潜伏感染したまま通常は宿主に無害なまま宿主の生涯を経過する．この伝染性単核球症の本質は，宿主細胞性免疫による EBV 関連日和見 B 細胞性リンパ腫前駆状態の抑制であり，宿主免疫によるウイルス発がん抑制の経過といえる．しかし，悪性腫瘍の化学療法

中や臓器移植後や自己免疫性疾患における免疫抑制剤使用中などの免疫抑制状態の宿主では，この EBV 感染細胞がオリゴクローナルに増殖し，リンパ増殖性疾患から最終的に EBV 関連日和見 B 細胞性リンパ腫へ至ることがある[2]．言い換えれば，EBV の B 細胞発がん能力は弱く容易に宿主の免疫により抑制されるため，EBV 関連日和見 B 細胞性リンパ腫の発症には全身の免疫抑制状態が必要である（図 2）．

膿胸関連リンパ腫・Burkitt リンパ腫・Hodgkin リンパ腫

　一方，全身的には免疫能が健常であっても，閉鎖的な局所において EBV 感染 B 細胞の腫瘍

化が発生しうる例として，膿胸関連リンパ腫（pyothorax-associated lymphoma：PAL）があげられる．PALは，肺結核に対する人工気胸術後や結核性胸膜炎に続発する慢性膿胸患者の数%に発生し，その大部分がEBV陽性のびまん性大細胞型B細胞性リンパ腫である．慢性膿胸患者やPAL患者には全身での免疫能低下はないが，PAL細胞の膿胸局所での宿主免疫監視機構からの逸脱には，PAL細胞でのヒト白血球抗原（human leukocyte antigen：HLA）-classⅠ分子の発現減弱やインターロイキン（interleukin：IL）-10の局所的な産生などの関与が疑われている[3]（図3）．

これに対して，EBV発見の契機となったBLは，Burkittにより発見された中央アフリカのマラリア多発地域に多くみられるEBV感染B細胞性リンパ腫である．BL発症においては，熱帯熱マラリア原虫感染やBL多発地域に群生するアフリカミドリサンゴ（トウダイクサ科の低木の一種）などが，発がんコ・ファクターとして細胞性免疫の乱れやBリンパ球における染色体転座に影響を及ぼしていると考えられている[4]．

さらに，Hodgkinリンパ腫（Hodgkin lymphoma：HL）は，多彩な全身症状とリンパ節腫脹をきたす疾患であり，組織学的には多核巨細胞であるReed-Sternberg（RS）細胞とその背景をなす多数の反応性炎症性細胞が特徴的である．HLの本態は，近年ではRS細胞を腫瘍細胞とするB細胞性リンパ腫と考えられている．RS細胞周囲の反応性炎症性細胞は，RS細胞が発現する様々なケモカインにより誘導されたTリンパ球・好酸球・好中球・形質細胞などである．このようなHLの組織像は，あとに述べるリンパ球浸潤癌の組織型をとるEBVaGCを想起させる[5]（図4）．

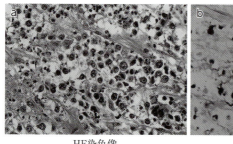

HE染色像　　　　　　　　EBER1-ISH

図3　膿胸関連リンパ腫
肺結核に対する人工気胸術後や結核性胸膜炎に続発する慢性膿胸などに関連した局所の免疫の乱れを背景とする日和見B細胞性リンパ腫
b）B細胞性リンパ腫のリンパ腫細胞の核はEBER1陽性
➡カラー口絵3参照

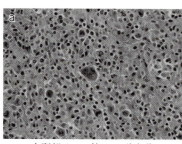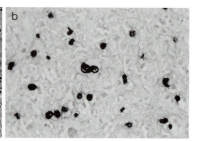

右頸部リンパ節　HE染色像　　　　　　EBER1-ISH

図4　Hodgkinリンパ腫（EBV陽性例）
EBER1陽性の多核巨細胞とその背景をなす多数の反応性炎症性細胞
➡カラー口絵4参照

EBVのB細胞以外への感染

通常，EBVは，感染レセプターであるCD21を有するB細胞に選択的に感染するが，近年，B細胞以外のNK/T細胞や上皮細胞などへもEBVの感染がまれに生じ，種々の腫瘍や慢性炎症の要因となることが知られてきている．耳鼻科領域や皮膚科領域では，EBVのB細胞以外の免疫担当細胞への感染による慢性疾患や重篤な病態が知られている（p.80「全身におけるEBウイルス関連腫瘍概論」参照）．EBVの上皮細胞への感染としては，未分化型でリンパ球浸潤に富む上咽頭癌（nasopharyngeal carcinoma：NPC）の大部分や一部の胃癌の発癌への関与が知られている．

NPCは，鼻腔と中咽頭の間の上咽頭から発生する上皮性腫瘍であり，非角化型タイプでは腫瘍細胞がEBV陽性である．その組織型は未分化型でリンパ球浸潤に富んでおり，EBVaGCの主要な組織型であるリンパ球浸潤癌（carcinoma with lymphoid scroma：CLS）を想起させる．NPCでのEBV潜伏感染様式はlatent membrane protein 1（LMP1）を発現するlatency Ⅱであり，LMP1の発現が腫瘍の増殖に強く関連していると考えられている．中国の広東地方特有の塩漬け魚の摂取が好発地域でのNPCリスクの増大に関与するとされることは，EBV関連腫瘍にみられる発がんコ・ファクターの1つとして興味深い[6]．

EBV関連腫瘍としてのEBV関連胃癌の発見

ここまで述べたEBV関連疾患を概観すると，「弱い発がん性で発がんにコ・ファクターを要する」「感染細胞に対して宿主免疫が反応した炎症類似の腫瘍」「比較的低悪性度で慢性に経過するものが多い」といったキーワードが浮かび上がってくる．このため，EBVの発見以来，多くの慢性炎症性疾患や腫瘍においてEBVの関与が検索されてきた．その経過において，Burkeらは，1990年にEBV陽性の胃癌をPCR法で初めて確認し，その組織型をリンパ球浸潤に富むlymphoepithelial carcinomaと表現した[7]．現在では，ほぼすべての腫瘍細胞核がEBER1-ISH陽性の胃癌病変をEBVaGCとよぶことが一般的である．

EBVaGCの，このリンパ球浸潤に富んだ組織型は，lymphoepithelioma-like carcinoma（LELC）ともよばれ，Watanabeらにより低分化腺癌主体の胃癌ながらやや予後のよい特徴的な組織型として同定されていたgastric CLS（GCLS）に相当する[8,9]（図1）．EBVaGC病変では，ほぼすべての胃癌細胞の核がEBER1陽性だが，CD8＋のT細胞が中心の浸潤リンパ球はEBER1陰性である．また，1つのEBVaGC病変の内部において表層部が分化型で連続する腫瘍深部がCLSの組織型であることが，しばしば経験される．Uemuraらは，EBVaGCの粘膜内病変部での中分化型管状腺癌に相当する不規則分枝癒合増殖像を，レース編みのイメージからlace patternと表現している[10]（図5）．これは，EBVを保有する胃癌細胞が増殖の過程において上皮細胞の性質を失っていく経過を示しているのかもしれない．日本の胃癌取扱い規約では，胃のリンパ球浸潤癌（carcinoma with lymphoid stroma）を，「癌細胞が，著明なリンパ球浸潤を背景にして，充実性あるいは腺腔形成の明らかでない小胞巣状に増殖する低分化腺癌である．胚中心を伴ったリンパ濾胞の増生も特徴的である．粘膜内病変は分化型であることが多い．この癌では，in situ hybridization法でEpstein-Barr virus（EBV）の感染が90%以上に証明される．ただし，一般型の癌でもEBVが証明されることがある．」（日本胃癌学会　編，胃癌取扱い規約　第15版，2017年10月，金原出版）としている．

EBVaGCは，EBV関連蛋白質としてはEBNA1のみ発現のlatency Ⅰの潜伏感染様式をとる．EBVaGC病変のCLSの組織型は，胃癌としてみると特殊型であるが，炎症性細胞浸潤に取り囲まれたEBV潜伏感染腫瘍細胞の像はNPCやEBV関連HLなどの組織型と類似し，EBV関連腫瘍としてはむしろ一般的である．このため，EBVaGCの病態の理解には，この腫瘍を胃癌の特殊型としてのみでなく胃上皮におけるEBV関連腫瘍として捉えることが有用であろうと思われる．EBV関

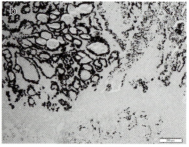

HE染色像　　　　　　　　　　　　　EBER1-ISH

図5　EBV 関連早期胃癌（内視鏡的切除例）
a）腫瘍の表層部では中分化型管状腺癌に相当する不規則分枝癒合増殖腺管の lace
　pattern がみられ，深部では CLS の組織型を呈する
b）lace pattern の部位も CLS の部位も，胃癌細胞の核はすべて EBER1 陽性．浸潤
　リンパ球には EBER1 陽性のものはみられない
➡カラー口絵 5 参照

連腫瘍に多くみられる発がんコ・ファクターは，EBVaGC の場合はピロリ菌胃炎や高塩分食であろうか．EBV 関連腫瘍の1つとしての EBVaGC の理解は，EBVaGC の治療に新たな展開を開き，さらにその展開は EBV 陰性の通常の胃癌の治療法の開発へも波及しうると期待される．

EBV 関連胃癌の概観

EBVaGC は，世界の胃癌の 8.7% を占めると報告されている[11]．わが国においては，Tokunaga らの 1,848 病変の検索では 6.6%，最近の Yanagi らの胃癌切除例 1,067 病変の検討でも 7.1% を占めている[12,13]．EBVaGC は，男性の胃の上部と残胃に多く，大部分は特殊型の1つである低分化腺癌主体の CLS の組織型をとり，DNA メチル化に富み programmed cell death 1-ligand 1（PD-L1）/L2 の高増幅を有し，進行癌ではやや予後がよく早期癌ではリンパ節転移リスクの低い，特徴的な胃癌の亜型である[14-17]．EBVaGC 病変では，1つの病変のほぼすべての癌細胞に terminal repeat（TR）数が同じ同一クローンの EBV が感染していることから，EBV はその発がんの初期に関与していると考えられている（図6）[18]．

EBVaGC 病変の大部分では，癌病変の背景胃にピロリ菌陽性の中等度に萎縮が進展した慢性萎縮性胃炎がみられる[19-21]（図7）．このため，ピロリ菌感染症の立場からは，EBVaGC はピロリ菌胃炎から発生する胃癌の一部である．しかしその一方で，EBV 感染症の立場からは，EBVaGC の病態は，炎症性変化に富む EBV 潜伏感染腫瘍細胞の増殖であり，全身の他の EBV 関連腫瘍とその特徴が共通している．ここまで述べて来た EBV 感染症における EBV 関連発がんの観点からは，胃においてはピロリ菌胃炎が胃上皮における EBV 発がんのコ・ファクターともいえる．

胃上皮細胞への EBV の感染と発がん

EBV は，通常 CD21 を感染レセプターとして B 細胞に選択的に感染する．このため従来は，CD21 を有しない胃上皮細胞に EBV がどのように感染するのかは，不明であった．この点を明らかとするために，胃癌細胞株への組み換え EBV を用いた CD21 を介さない感染実験が行われ，胃癌細胞株と EBV 陽性 B 細胞株との共培養実験により B 細胞の保有する EBV が高率に胃上皮細胞に感染しうることが明らかとされた[22,23]．さらに胃粘膜生検切片由来の初代培養胃上皮細胞への EBV 感染による胃上皮細胞の不死化も報告された[24]．これらのことから，臨床的なピロリ菌胃炎の胃粘膜において胃炎により胃粘膜に誘導された EBV 感染 B 細胞と胃上皮細胞の共培養類似の状態が生じ，B 細胞から胃上皮細胞への EBV 感染と胃上皮細胞の不死化が生じうると推測される．

EBV は細胞性免疫に感知されにくい安定した

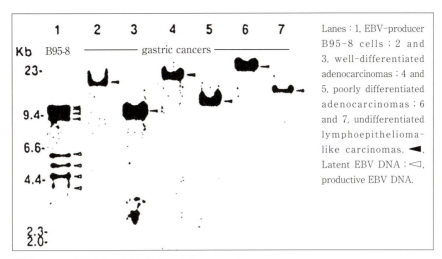

図6 EBVaGC 病変における EBV の単クローン性

EBVaGC 病変では，すべての腫瘍細胞が同一 TR 長の EBV を保有している．すなわち，EBVaGC 病変は，がん化の初期に EBV が感染した胃上皮細胞がモノクローナルに増殖した病変

〔文献 18 より改変引用．Copyright (1994) National Academy of Sciences, U.S.A.〕

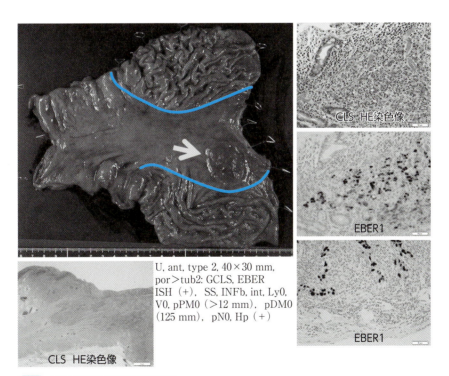

図7 EBV 関連進行胃癌手術症例

50 歳代男性　胃体上部　2 型．O-1 程度の萎縮性胃炎を背景に発生し，胃粘膜萎縮境界近傍の萎縮側に位置している(青線は胃粘膜萎縮境界推定ライン)．ピロリ菌陽性

➡カラー口絵 6 参照

潜伏感染状態へ移行するために宿主のDNAメチル化酵素を利用して自らのプロモーターをメチル化するとされるが，その過程において，宿主のDNAのメチル化が巻き添え的に生じるものと考えられている．EBV感染胃上皮細胞ではDNAメチル化によりSHP-2のホモログのSHP-1プロモーターがメチル化され，SHP-1の発現が抑制され，その結果SHP-2発現が亢進することにより，ピロリ菌のCagAの発がん活性が増強することが報告されている[25]．すなわち，ピロリ菌胃炎の一部において，胃炎性変化が胃粘膜に外因性の発がん因子であるEBVを呼び寄せ，EBVによる宿主細胞DNAメチル化によりピロリ菌のCagAによる発がんを補助させているといえる．

　このような，慢性胃炎を背景とした胃上皮細胞へのEBVの感染とそのがん化を，Fukayamaは，"Gastritis-Infection-Cancer Sequence" の概念に統合している[26]．また最近Okabeらは，EBVプラスミド（組み込みではない）が宿主細胞のエピゲノム異常を引き起こし胃発がんに関与することを報告した[27]（p.79「Ⅲ　ヒト腫瘍ウイルスとしてのEBウイルス」参照）．

■おわりに

　EBVは，感染B細胞の核内にプラスミドの状態で潜伏感染し，通常は大きな病的意義を示さずに宿主の生涯を過ごす．しかし，最近ではB細胞以外のNK/T細胞や上皮細胞へのEBV感染による病的状態の解明が進みつつあり，ほぼすべての成人に関連するEBV感染症の理解に大きな変化が生じつつある．EBVaGCもまた，このEBV感染症の一部である．

　EBVaGCを「胃癌の特殊型」としてのみでなく「胃におけるEBV関連腫瘍」と認識することは，消化管を全身の上皮組織やリンパ装置・神経内分泌系の一部として再度理解し，消化管内科学を内科学全体に再統合する視野をもたらす契機となるのかもしれない．

文　献

1) Yanai H, et al.：Endoscopic and pathologic feature of Epstein-Barr virus-associated gastric carcinoma. Gastrointest Endosc 1997；45：236-242.

2) 江川裕人，他：移植後リンパ増殖性疾患．高田賢藏（監），柳井秀雄，他（編）：EBウイルス．改訂第3版，診断と治療社，2015；105-110.

3) 青笹克之，他：膿胸関連リンパ腫．高田賢藏（監），柳井秀雄，他（編）：EBウイルス．改訂第3版，診断と治療社，2015；117-119.

4) 木村　宏，他：Burkittリンパ腫．高田賢藏（監），柳井秀雄，他（編）：EBウイルス．改訂第3版，診断と治療社，2015；111-116.

5) 大田泰徳，他：Hodgkinリンパ腫．高田賢藏（監），柳井秀雄，他（編）：EBウイルス．改訂第3版，診断と治療社，2015；129-133.

6) Tsao SW，他：上咽頭がん．高田賢藏（監），柳井秀雄，他（編）：EBウイルス．改訂第3版，診断と治療社，2015；134-140.

7) Burke AP, et al.：Lymphoepithelial carcinoma of the stomach with Epstein-Barr virus demonstrated by polymerase chain reaction. Mod Pathol 1990；3：377-380.

8) Shibata D, et al.：Association of Epatein-Barr virus with undifferentiated gastric carcinomas with intense lymphoid infiltration Lymphoepithelioma-like carcinoma. Am J Pathol 1991；139：469-474.

9) Watanabe H, et al.：Gastric carcinoma with lymphoid stroma：its morphologic characteristics and prognostic correlations. Cancer 1976；38：232-243.

10) Uemura Y, et al.：A unique morphology of Epstein-Barr virus-related early gastric carcinoma. Cancer Epidemiol Biomarkers Prev 1994；3：607-611.

11) Murphy G, et al.：Meta-analysis shows that prevalence of Epstein-Barr virus-positive gastric cancer differs based on sex and anatomic location. Gastroenterology 2009；137：824-833.

12) Tokunaga M, et al.：Epstein-Barr virus related gastric cancer in Japan：a molecular patho-epidemiological study. Acta Pathol Jpn 1993；43：574-581.

13) Yanagi A, et al.：Clinicopathological characteristics of Epstein-Barr virus-associated gastric cancer over the past decade in Japan. Microorganisms 2019；7：305.

14) The Cancer Genome Atlas Research Network：Comprehensive molecular characterization of gastric adenocarcinoma. Nature 2014；513：202-209.

15) Song HJ, et al.：Host inflammatory response

predicts survival of patients with Epstein-Barr virus-associated gastric carcinoma. Gastroenterology 2010 ; 139 : 84-92.

16) Camargo MC, et al. : Improved survival of gastric cancer with tumour Epstein-Barr virus positivity : an international pooled anaslysis. Gut 2014 ; 63 : 236-243.

17) Osumi H, et al. : Epstein-Barr virus status is a promising biomarker for endoscopic resection in early gastric cancer : proposal of a novel therapeutic strategy. J Gastroenterol 2019 ; 54 : 774-783.

18) Imai S, et al. : Gastric carcinoma : monoclonal epithelial malignant cells expressing Epstein-Barr virus latent infection protein. Proc Natl Acad Sci USA 1994 ; 91 : 9131-9135.

19) Yanai H, et al. : Epstein-Barr virus-associated gastric carcinoma and atrophic gastritis. J Clin Gastroenterol 1999 ; 29 : 39-43.

20) Arikawa J, et al. : Morphological characteristics of Epstein-Barr virus-related early gastric carcinoma : a case-control study. Pathol Int 1997 ; 47 : 360-367.

21) Kaizaki Y, et al. : Atrophic gastritis, Epstein-Barr virus infection, and Epstein-Barr virus-associated gastric carcinoma. Gastric Cancer 1999 ; 2 : 101-108.

22) Yoshiyama H, et al. : Epstein-Barr virus infection of human gastric carcinoma cells : implication of the existence of a new virus receptor different from CD21. J Virol 1997 ; 71 : 5688-5691.

23) Imai S, et al. : Cell-to-cell contact as an efficient mode of Epstein-Barr virus infection of divers human epithelial cells. J Virol 1998 ; 72 : 4371-4378.

24) Nishikawa J, et al. : Epstein-Barr virus promotes epithelial cell growth in the absence of EBNA2 and LMP1 expression. J Virol 1999 ; 73 : 1286-1292.

25) Saju P, et al. : Host SHP1 phosphatase antagonizes Helicobacter pylori CagA and can be downregulated by Epstein-Barr virus. Nat Microbiol 2016 ; 1 : 16026.

26) Fukayama M, et al. : Gastritis-Infection-Cancer sequence of Epstein-Barr virus-Associated Gastric Cancer. Adv Exp Med Biol 2018 ; 1045 : 437-457.

27) Okabe A, et al. : Cross-species chromatin interactions drive transcriptional rewiring in Epstein-Barr virus-positive gastric adenocarcinoma. Nat Genet 2020 ; 52 : 919-930.

2 EBウイルス関連胃癌の疫学

鹿児島大学大学院医歯学総合研究科疫学・予防医学
郡山千早, 秋葉澄伯

EBウイルス感染の自然史とEBウイルス関連胃癌

Epstein-Barrウイルス（Epstein-Barr virus：EBV）の感染は，世界中のどの地域でも確認されている[1]．一般的にEBVは唾液を介して感染し，わが国を含め多くの地域では3歳ぐらいまでの幼少期に感染するとされているが，近年，特に一部の先進国において，初感染年齢が徐々に上がっているとの報告がある[2]．免疫系の発達が未熟な乳幼児期に感染した場合，無症候性であることが多いが，感染時期が思春期まで遅れると，伝染性単核球症を発症することがある[1]．米国などのように幼少期の感染率が45％と低い国では，思春期に初感染を迎えると，ほぼ半数が伝染性単核球症を発症する[1]．これはEBVが感染したBリンパ球に対する過剰な免疫反応によるものである．初感染後は，EBVはウイルス抗原を発現しない潜伏感染状態で，体内に終生維持される．

先行研究では，EBV関連胃癌（EBV-associated gastric cancer：EBVaGC）は胃癌全体の約10％（5〜15％）と報告されている．胃癌の罹患率・死亡率ともに国内外において減少傾向にあるものの，全世界のがん全体のなかで，罹患率は5位，死亡率は4位と上位に位置している．最近のWongら[3]の試算によると，2020年の全世界におけるEBVaGCの推定罹患数は82,800〜116,400人，推定死亡数は58,200〜82,300人である．これは8割以上がEBVと関連している鼻咽頭癌の症例数（推定罹患数105,500〜120,600人，推定死亡数61,600〜74,300人）に匹敵する値である．

EBV感染に地域偏在性はないが，Burkittリンパ腫（Burkitt lymphoma：BL）や未分化型の鼻咽頭癌などのEBV関連がんの地域分布には偏在性がある．EBVaGCについても後段で述べるように，地域分布に特徴がみられ，これは環境要因などの他の因子がEBV関連がんの発症に関与している可能性を示唆している．本項では，EBVaGCの疫学的特徴についてまとめているが，近年，本疾患に関する新たな疫学研究の報告は少ないことから，2016年の前版の報告内容をほぼ踏襲していることをご了承いただきたい．

地域分布と経年変化

胃癌全体にEBVaGCが占める割合は，国・地域によって若干ばらつきがある．北アメリカ大陸では，この割合が13〜17％と高い傾向がある[4]が，南米ペルーやメキシコでは4〜7％と比較的低い．EBVaGCの占める割合は，胃癌の少ない地域で高く，胃癌の多い地域で低い傾向があるといわれている．中東・南アジアもEBVaGCが占める割合は低い．アフリカ大陸では，チュニジア[5]とザンビア[6]からの2つの報告のみで，EBVaGCの割合はそれぞれ15％と11％であった．EBVaGCの割合に明らかな経年変化はみられていない．

病理学的・臨床的特徴

病理学的特徴（発生部位や組織型など）や臨床的予後については，他項でも詳細に述べられているが，疫学的観点から本疾患の病因論的背景を考察するうえでも重要である．なお近年，The Cancer Genome Atlasプロジェクトにおいて，胃癌のゲノム，プロテオーム解析が行われ，4つの胃癌の分子サブタイプ分類が提案された．その1つがEBVaGCであるが，その分子生物学的特徴についても他項を参照いただきたい．

EBVaGC が非幽門部に多いことは初期の研究から指摘されていた．また，残胃癌症例で，EBVaGC が好発することも報告されている[7]．

Lauren 分類は，胃癌の疫学研究でも古くから用いられてきた組織型の分類で，intestinal type と diffuse type の 2 群に分ける．intestinal type の胃がんは，diffuse type と比べて生活習慣や環境要因との関連が強いと指摘されており，EBV 関連胃癌は diffuse type に多い[4]．一方，消化管上皮細胞の形質マーカーである MUC5AC，MUC2 や Cdx2 などの発現パターンによって，胃型，腸型といった分類方法も報告されているが，EBVaGC では，どちらの形質マーカーの発現も消失している null 型が多いようである[8]．

手術後の予後については，EBVaGC の予後は，それ以外の胃癌よりもよいとの報告が多い[9]．

人口学的特徴

1. 性・年齢

EBVaGC は男性に多く，全体でみると男女比はおよそ 2：1 であるが，年齢によって，このパターンは異なっており，若年者では男性比が高く，加齢とともにその値は小さくなる[4]．さらに癌の発生部位別でも違いがみられる．男性では，年齢とともに EBVaGC の割合は減少し，特に幽門部胃癌においてその傾向が顕著である（図 1）[4]．一方，女性の幽門部胃癌では年齢による EBVaGC の割合の変化はみられない．その結果，幽門部胃癌では，年齢とともに男女差はほとんどなくなる．一方，非幽門部胃癌においては，女性の EBV 陽性胃癌の割合は年齢とともにやや増加するようである．しかし男性においては，その減少傾向が小さいために，80 歳前後でも男性の EBV 陽性胃癌の割合が女性の値よりも 2 倍程度高いが，それ以降になると男女比も明確でなくなる．したがって，冒頭に述べた「若年者では（EBVaGC の）男性比が高く，加齢とともにその値は小さくなる」ことの理由は，EBVaGC が男性に多く，加齢による減少率が男性で特に大きいためと考えられる．

男女比の地域差はあまりないようであるが，メ

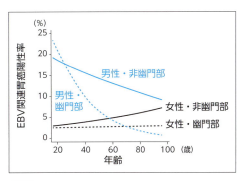

図 1　加齢による EBV 関連胃癌陽性率の変化（性・発生部位別）
〔文献 4 より改変〕

キシコやペルーなど，中南米のなかでも比較的 EBVaGC の割合が低い地域では，男女比は 1：1 程度である．

2. 人種

人種差の検討が可能な研究報告はほとんどない．ブラジルで行われた疫学調査では，白人，黒人，日系移民の EBV 関連胃癌の割合は，それぞれ，10％，16％，5％であった[10]．一方，アメリカテキサス州で行われた調査結果では，白人・黒人では 3％，ラテン系住民では 21％であり[11]，人種差について一致した傾向は得られていない．

生活習慣・生活環境

喫煙は胃癌のリスク要因であり，特に噴門部胃癌との関連が示されていた．極東アジア（日本，中国，韓国），南北アメリカおよびヨーロッパで行われた疫学調査データを用いたプール解析では，EBVaGC は喫煙者に多く，この結果は，EBVaGC の特徴（噴門部および男性に多い）と矛盾しない[12]．日本の胃癌症例を対象とした疫学研究では，EBVaGC 症例は，塩辛い食品の摂取頻度が多く，木くず・鉄くずなどへの曝露機会が多いことが示された[10]．同様の傾向は，南米コロンビアでの疫学研究でも確認されている．これらの結果から，胃粘膜に傷害を与えるような状況・環境要因が EBVaGC リスクを高める可能性がある．一方，飲酒は胃癌の原因とは考えられておらず，前述のプール解析においても飲酒習慣と EBVaGC との

関連は確認されていない.

ヘリコバクターピロリ菌感染などとの関連

胃癌のリスク要因であるピロリ菌（*Helicobacter pylori*）感染と，EBV 感染（あるいは EBV の活性化）との相乗作用については注目されてきた点である．しかしながら，EBVaGC 症例とそれ以外の胃癌症例において，CagA を含む種々のピロリ菌抗原に対する血中抗体分布に顕著な差はみられなかったことから，相乗作用がある可能性は低いと思われる[13]．

AIDS 患者や臓器移植患者などでは，全身性免疫不全により体内の EBV 増殖が生じ，日和見リンパ腫を引き起こしやすい．HIV 感染と EBVaGC との関連を検討したアフリカでの研究結果によると，HIV 感染が EBVaGC の発症リスクとなる可能性は低いようである[6]．

EBV の感染時期

日本では，EBV，ピロリ菌ともに最初の感染の多くは幼少期に起こっている．ピロリ菌感染については，免疫機能が十分に発達していない 3 歳ぐらいまでの感染が胃癌リスクを高めるとの報告もあるが，EBV 初感染の時期と EBVaGC リスクとの関係は不明である．日本の胃癌症例を対象として出生順位を調べた調査では，EBVaGC 症例では出生順位が早い（兄弟のなかでも上である）傾向がみられたが，コロンビアにおける同様の調査では逆の傾向が認められ，一致した結果は得られていない[14]．

ウイルスの再活性化とそのバイオマーカー

EBV 関連がんの 1 つである鼻咽頭癌症例では，血清 IgA 抗体価が高いことが知られている．最近，アメリカ国立がん研究所の Rabkin 博士らのグループは，EBVaGC 症例では血中 IgA よりも，IgG の誘導が顕著であると報告している[15]．この研究では，EBVaGC 症例とそれ以外の胃癌症例の血清を用いて，40 の EBV 蛋白に対する血清中の IgG および IgA を解析しており，EBVaGC 症例では，7 つの血清 IgG が特異的に上昇していることを報告している．この 7 つの IgG のう

ち，抗 LF2 抗体以外はすべて，EBV 溶解感染の immediate-early（前初期）もしくは early（初期）の段階で産生されるウイルス蛋白に対する抗体であった．LF2 については，どの段階で産生されるかは明らかとなっていない．溶解感染時に発現されるウイルス蛋白に対する抗体の上昇は，潜伏感染していた EBV が活性化されたことを示す．さらに興味深いことに，EBVaGC 以外の EBV 関連がん〔鼻咽頭癌，BL，Hodgkin リンパ腫（Hodgkin lymphoma：HL）など〕では，EBV 溶解感染の late（後期）蛋白に対する血清抗体産生がみられることが指摘されている．これは血清中の抗 EBV 抗体の分布パターンによって，EBVaGC とそれ以外の EBV 関連がんが区別可能であることを示唆している．

鼻咽頭癌症例では，癌の診断前より血清 IgA 抗体価が高いことが知られている．一方，EBVaGC 症例についても，診断前から保存されていた血清中の viral capsid antigen（VCA）に対する IgG などの抗体が上昇していたことが報告されている[16]．また，EBVaGC 症例とそれ以外の胃癌症例を対象に，診断後採血された血液を用いた研究でも，EBVaGC 症例において VCA 抗体の上昇がみられている[17]．これらの研究結果も，癌の診断前に潜伏感染状態の EBV が活性化しているという仮説と矛盾しない．

EBV のサブタイプ

胃癌症例の約 9 割は EBV に感染していると考えられるが，EBVaGC は胃癌全体の 1 割程度である．この頻度の違いはなぜ生じるのか．考えられる理由の 1 つは，前述のように，一部の感染者において，何らかの理由で EBV の活性化が生じ，EBVaGC のリスクが高くなることである．別の可能性として，「EBVaGC で検出されるウイルスは，他と異なるのではないか」というウイルス側の要因がある．南米チリとコロンビアで行われた研究では，EBVaGC 組織から検出された EBV と健常人（非胃癌）のうがい液から検出された EBV のサブタイプの比較を行っている[18]．健常人では BamHI Ⅰ領域で分類される C 型と D 型

の頻度がほぼ同じであったのに対し，EBVaGC症例では，ほとんどがD型であった．さらにこの多型はlatent membrane protein 1（LMP1）にあるXhoI切断部位の有無と強く関連しており，EBVaGC症例の9割以上は，D型でXhoI切断部位が保持されている（XhoI-kept）型であることが示された．しかし，同じ南米でも比較的EBVaGCの割合が低いペルーでは，EBVaGC組織から検出されたEBVにおいて，D型/XhoI-kept型への偏りは確認されなかった．一方，中国の胃癌症例を対象として行われた研究では，残胃癌ではBamHI I領域のC型が，再発胃癌ではD型が比較的多いとの報告であった[19]．さらに，われわれが日本と韓国のEBVaGC症例を用いて行った調査では，XhoI-kept型は2～4割程度であり，D型もごく一部の症例のみであった．また，BamHI FおよびEBNA2領域で分類される型の分布を比較したところ，EBVaGC症例から検出されるEBVタイプの分布は，文献的に報告されている日本人一般集団の分布と大きな差は認めなかった．特定のEBVサブタイプがEBVaGC発症と関連しているかどうかの検証は，複数の地域を対象として，各地域（集団）で優位に分布しているサブタイプを考慮したうえでの検証が必要である．

文献

1) IARC：Epstein-Barr Virus, Biological Agents IARC Monographs on the Evaluation of Carcinogenic Risks to Humans. Volume 100B, 2012.

2) Dunmire SK, et al.：Primary Epstein-Barr virus infection. J Clin Virol 2018；102：84-92.

3) Wong Y, et al.：Estimating the global burden of Epstein-Barr virus-related cancers. J Cancer Res Clin Oncol 2022；148：31-46.

4) Camargo MC, et al.：Determinants of Epstein-Barr virus-positive gastric cancer：an international pooled analysis. Br J Cancer 2011；105：38-43.

5) BenAyed-Guerfali D, et al.：Characteristics of epstein barr virus variants associated with gastric carcinoma in Southern Tunisia. Virol J 2011；8：500.

6) Kayamba V, et al.：Molecular profiling of gastric cancer in a population with high HIV prevalence reveals a shift to MLH1 loss but not the EBV subtype. Cancer Med 2020；9：3445-3454.

7) Lu C, et al.：Epstein-Barr virus infection and genome polymorphisms of gastric remnant carcinoma：a meta-analysis. Cancer Cell Int 2020；20：401.

8) Hirano N, et al.：Down regulation of gastric and intestinal phenotypic expression in Epstein-Barr virus-associated stomach cancers. Hitol Histopathol 2007；22：641-649.

9) Camargo MC, et al.：Improved survival of gastric cancer with tumour Epstein-Barr virus positivity：an international pooled analysis. Gut 2014；63：236-243.

10) Akiba S, et al.：Epstein-Barr virus associated gastric carcinoma：epidemiological and clinicopathological features. Cancer Sci 2008；99：195-201.

11) Vo QN：Epstein-Barr virus in gastric adenocarcinomas：association with ethnicity and CDKN2A promoter methylation. J Clin Pathol 2002；55：669-675.

12) Camargo MC, et al.：Case-case comparison of smoking and alcohol risk associations with Epstein-Barr virus-positive gastric cancer. Int J Cancer 2014；134：948-953.

13) Camargo MC, et al.：Anti-Helicobacter pylori antibody profiles in Epstein-Barr virus（EBV）-positive and EBV-negative gastric cancer. Helicobacter 2016；21：153-157.

14) Campos FI, et al.：Environmental factors related to gastric cancer associated with Epstein-Barr virus in Colombia. Asian Pac J Cancer Prev 2006；7：633-637.

15) Song L, et al.：Identification of anti-Epstein-Barr virus（EBV）antibody signature in EBV-associated gastric carcinoma. Gastric Cancer 2021；24：858-867.

16) Levine PH, et al.：Elevated antibody titers to Epstein-Barr virus prior to the diagnosis of Epstein-Barr-virus-associated gastric adenocarcinoma. Int J Cancer 1995；60：642-644.

17) Shinkura R, et al.：Epstein-Barr virus-specific antibodies in Epstein-Barr virus-positive and -negative gastric carcinoma cases in Japan. J Med Virol 2000；60：411-416.

18) Corvalan A, et al.：Association of a distinctive strain of Epstein-Barr virus with gastric cancer. Int J Cancer 2006；118：1736-1742.

19) Liu S, et al.：Epstein-Barr virus infection in gastric remnant carcinoma and recurrent gastric carcinoma in Qingdao of Northern China. PLoS One 2016；11：e0148342.

EB ウイルス関連胃癌の病理像（通常病理，HE 像・粘液形質など）

東京大学大学院医学系研究科人体病理学・病理診断学[*1]，東京大学大学院医学系研究科総合ゲノム学[*2]
牛久哲男[*1]，岩﨑晶子[*1]，阿部浩幸[*1]，牛久　綾[*2]

肉眼像

Epstein-Barr ウイルス（Epstein-Barr virus：EBV）関連胃癌の大部分は，胃体部から胃底部にかけての近位側に発生する（図 1）．残胃癌に占める割合も比較的高く，多重癌の頻度が高いのも EBV 関連胃癌の特徴である[1,2]．肉眼型は様々

であるが，早期癌では 0-Ⅱc，あるいは 0-Ⅱc 優位型が 7 割以上を占める（図 2）．進行癌では 2 型病変が多く，割面では厚みのある充実性増殖を示し，周囲との境界は明瞭である（図 3）．次いで 3型，時に 1 型病変を形成し，4 型病変を形成することはまれである．

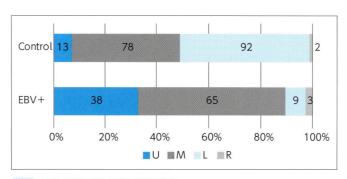

図1　EBV 関連胃癌の発生部位頻度
Control（非 EBV 関連早期胃癌連続症例，$n = 185$）と EBV 関連早期胃癌（$n = 108$）の発生部位を比較すると，後者では胃上部（U）や中部（M）発生がほとんどを占め，control 群で半数を占める下部（L）発生はまれであることがわかる．R は残胃癌

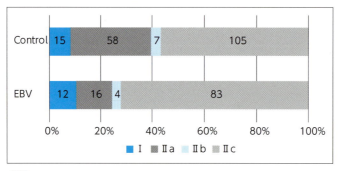

図2　早期胃癌の肉眼型
図 1 と同一症例の肉眼型（混合型の場合は優位型に含める）を示す．Control 群でも 0-Ⅱc 有意型が多いが，EBV 関連胃癌ではその傾向がより顕著である．0-Ⅰ，0-Ⅱa，0-Ⅱb 型の例も低頻度にみられる

組織像

EBV 関連胃癌に最も特徴的な組織型としてリンパ球浸潤癌が知られている[3]．胃癌取扱い規約（第 15 版）において，リンパ球浸潤癌は「癌細胞が，著明なリンパ球浸潤を背景にして，充実性あるいは腺腔形成の明らかでない小胞巣状に増殖する低分化腺癌である」と定義されている[4]．「著明なリンパ球浸潤」の程度としては，少なくとも腫瘍細胞と同数以上のリンパ球浸潤がみられることが目安となる（図 4）．メタ解析報告によると，胃癌全体に占めるリンパ球浸潤癌の推定比率は

6.2％であり，リンパ球浸潤癌のうち EBV 陽性率は，推定 72.3％と報告されている[5]．したがって，EBV 陽性のリンパ球浸潤癌は，胃癌全体の 6.2％ × 72.3/100 ＝ 4.5％程度と考えられる．胃癌全体における EBV 関連胃癌の比率は約 9％であることから，大まかには EBV 関連胃癌の半数程度がリンパ球浸潤癌であり，残りの約半数はそれ以外の組織型を示すと考えられる．

リンパ球浸潤癌に次いで EBV 関連胃癌に特徴的な組織像として，lace pattern が報告されている．これは，不規則に吻合する管状，索状を呈し網目状構造をなす組織構築を指し，特に粘膜内で

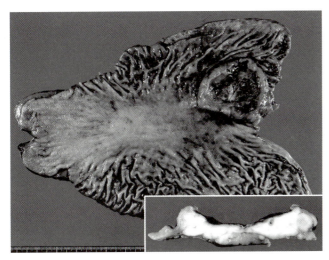

図 3　進行癌の肉眼像
EBV 関連胃癌の典型像．胃上部に発生した 2 型病変で，割面（右下）では，境界明瞭で厚みのある充実性腫瘤を形成している
➡ カラー口絵 7 参照

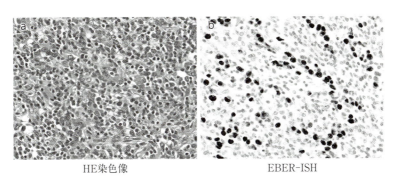

HE染色像　　　　　　　　　　　EBER-ISH

図 4　リンパ球浸潤癌の像を示す EBV 関連胃癌
a）索状，小胞巣状の癌細胞と，それを上回る数のリンパ球主体の炎症細胞浸潤がみられる
b）すべての癌細胞に EBV-encoded small RNA（EBER）陽性シグナルがみられる．EBER *in situ* hydridization（ISH）は組織標本における EBV 感染同定法のゴールドスタンダードとして用いられる
➡ カラー口絵 8 参照

高頻度にみられ，粘膜下層浸潤部ではリンパ球浸潤癌に変化していく例が多い[6]（図5[6]，6）．

　EBV関連胃癌はその他の様々な組織像を示すが，ほとんどの例では，管状，または低分化腺癌の像を示し，様々な程度のリンパ球主体の炎症細胞浸潤を伴う．細胞像は比較的均一で核異型は軽度〜中等度，細胞質の粘液は通常乏しいが，胃腺窩上皮様のこともある（図7）．腫瘍内にはリンパ球に加え組織球も通常多く混在し，好中球・好酸球浸潤もまれではない．まれながら，リンパ球性間質が乏しく通常型の腺癌との区別がつかないような例や，印環細胞癌の形態を示す例も存在する．

粘液形質

　胃癌の分類には管状腺癌や印環細胞癌など，組織構築や細胞形態に基づいた組織型のほかに，癌細胞の様々な細胞形質で分類する方法があり，特に産生する粘液のタイプで，胃型や腸型に分類する方法が広く使われている．正常の胃粘膜において，腺窩上皮はMUC5AC，幽門腺や噴門腺はMUC6といった分泌型ムチンを産生しており，これらを発現する胃癌は胃型に分類される．一方，小腸や大腸の杯細胞が産生するMUC2，小腸上皮の刷子縁に発現するCD10を発現しているものは

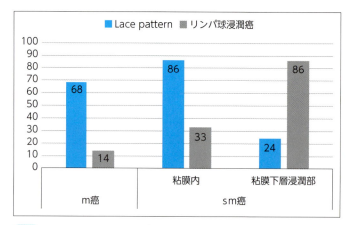

図5　Lace patternとリンパ球浸潤癌の頻度
粘膜内癌（左），および粘膜下層浸潤癌の粘膜内病変（中央）と粘膜下層浸潤部（右）におけるそれぞれの成分がみられた割合を示す．Lace patternは粘膜内で高頻度にみられ，粘膜下層浸潤部ではリンパ球浸潤癌に変化する傾向がわかる
〔文献6データをもとに作成〕

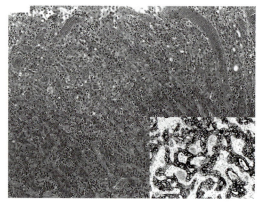

図6　Lace patternの組織像
不規則に吻合し網目状をなしlace状を呈するEBV関連胃癌．サイトケラチン（AE1/AE3）免疫染色でlace状構造をなす癌細胞がより明瞭となる（右下）
➡カラー口絵9参照

腸型に分類される．抗 MUC5AC 抗体（あるいはこれとほぼ同等の染色性を示す抗 human gastric mucin 抗体）を用いた免疫組織化学による検討では，EBV 関連胃癌の 42〜50％が陽性となり，胃腺窩上皮への分化を示すものが多いことがわかる[7-9]．MUC6 の陽性率は 12〜22％と MUC5AC に比べて低く，MUC2，CD10 の陽性率はそれぞれ 2〜11％，2〜6％であり，腸型の形質を示すものは少ない[7,8]．これらのマーカーの発現の組み合わせにより，胃型，腸型，混合型（両方の形質を示すもの），あるいは null 型（いずれのマーカーも発現していない）に分類すると，EBV 関連胃癌

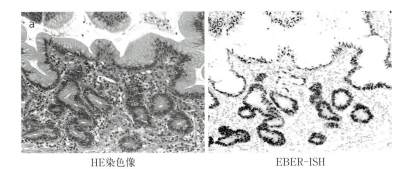

HE染色像　　　　　　　　　　EBER-ISH

図7　腺窩上皮分化を示す EBV 関連胃癌
a) 低異型度の例ではこのように非腫瘍性の腺窩上皮との区別が困難な場合もあるが，軽度の核異型や上皮内リンパ球浸潤がやや目立つ
b) EBER 陽性シグナルがすべての上皮にみられ，EBV 関連胃癌であることが確認できる
➡カラー口絵 10 参照

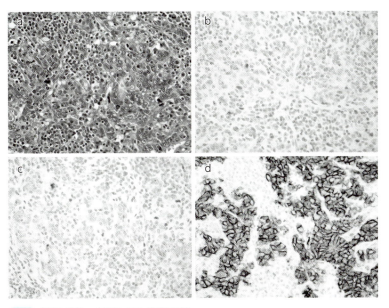

図8　粘液形質 null 型の EBV 関連胃癌
a) HE 染色像．リンパ球浸潤癌の組織像を示す．本例は免疫染色では胃，腸型マーカーともに陰性で null 型粘液形質を示す
b，c) ここでは MUC5AC（b），と MUC6（c）免疫染色像を示す
d) CLDN18 免疫染色．粘液形質は null 型であるが，胃型接着因子の CLDN18 は陽性を示し，胃型形質が保持されている
➡カラー口絵 11 参照

においては null 型が 44％と最も多く，ついで胃型が 23～39％を占め，混合型は 2～11％，腸型は 0～6％と少ない（図 8a-c）．EBV 陰性の胃癌では胃型，腸型，混合型がそれぞれ 3 分の 1 程度を占め，null 型が 1 割未満であるのと対照的である[8]．EBV 関連胃癌では粘液を発現しない未分化なものが多く，比較的分化したものでは胃型の形質を示すと考えられる．

細胞接着因子

細胞分化の方向を示す他のマーカーとして，細胞接着因子の 1 つである claudin（CLDN）ファミリーが知られている．CLDN は上皮間のタイトジャンクションを構成する 4 回膜貫通型蛋白であり，そのうち CLDN18.2 は胃腺窩上皮，増殖帯や固有腺の上皮に発現している．CLDN3，CLDN4 は正常の胃の上皮では発現がみられないが，小腸や大腸の上皮に発現しており，胃の腸上皮化生においても発現がみられることから，腸上皮への分化に関連していると考えられる．免疫組織化学による検討では，EBV 関連胃癌では 81～84％に CLDN18.2 の発現がみられ，EBV 陰性の胃癌での陽性率が 40％であるのと比較し，有意に高い[7,10]．一方，EBV 関連胃癌における CLDN3 の陽性率は 5％と低いが，CLDN4 の陽性率は 49％とほぼ半数である．CLDN4 は消化管以外の癌でもしばしば発現しており，癌化した細胞での腸型分化とは必ずしも一致しないと考えられる．CLDN18.2 は胃に特異性が高く，EBV 関連胃癌における高頻度の発現は，たとえ粘液形質が null 型であっても，胃上皮としての性質を保持していることを示唆している（図 8d）．また，近年では CLDN18.2 に対する特異的抗体を用いた分子標的治療薬（zolbetuximab）が開発されており，EBV 関連胃癌に対しても有効性が期待される[11]．

EBV 関連胃癌では接着因子 E-cadherin の発現低下が知られている．E-cadherin はびまん型胃癌において発現が消失していることが多く，これをコードする CDH1 遺伝子の生殖細胞系列変異は遺伝性びまん型胃癌の原因となる．EBV 関連胃癌では 50％に E-cadherin の発現低下がみられ，

これにより細胞相互の接合性が乏しい組織像を呈すると考えられる．EBV 関連胃癌においてはヒトの microRNA のうち，miR-200a および miR-200b の発現が低下しており，その標的である転写抑制因子 ZEB1，ZEB2 の発現亢進を介して，E-cadherin の発現が抑制される経路の存在も実験的に示されている[12]．

腫瘍免疫環境

EBV 関連胃癌は EBV 抗原を有することなどから免疫原性が高く，CD8 陽性 T 細胞を主体としたリンパ球浸潤が胃癌のなかで最も強くみられ，前述のとおり典型的にはリンパ球浸潤癌の組織像を示す．このため，EBV 関連胃癌においては，programmed cell death 1-ligand 1（PD-L1）発現をはじめとした腫瘍免疫回避機構を獲得した腫瘍細胞が生存アドバンテージを獲得し，癌の進行とともに優勢となっていくと考えられる[13,14]．腫瘍細胞表面に PD-1 が発現すると，細胞傷害性 T 細胞表面の programmed cell death 1（PD-L1）と結合してその抗腫瘍活性を抑制するため，腫瘍細胞は免疫細胞の攻撃から回避することができる．実際に筆者らの検討では，EBV 関連胃癌は胃癌のなかで最も PD-L1 を高発現しているサブタイプであり，また早期癌よりも進行癌で PD-L1 発現頻度が高い傾向がみられた[15,16]（図 9）．

近年様々ながん種で適応が拡大されつつある PD-1/PD-L1 阻害剤はこの免疫回避経路を遮断して抗腫瘍効果を得ることから，もともと CD8 陽性 T 細胞浸潤が多く，PD-L1 陽性率が高い EBV 関連胃癌では治療効果を得られやすいと期待されている．一般的に腫瘍細胞における PD-L1 発現の機序として，インターフェロン γ などのサイトカインによる誘導と，腫瘍細胞の PD-L1 遺伝子増幅などの異常，PD-L1 発現を間接的に誘導するような遺伝子異常が知られる．EBV 関連胃癌では，PD-L1/2 遺伝子座のある 9 番染色体短腕（9p24.1）の増幅が高頻度に生じていることが示されており[17]，PD-L1 陽性率が高い理由の 1 つと考えられる．さらに，EBV 関連腫瘍に特有の機序として，PD-L1 遺伝子の 3′ 非翻訳領域の EBV ゲ

ノム挿入による構造異常がPD-L1発現亢進をもたらすという報告や[18]，EBV由来のmiRNAによりPD-L1発現が誘導されるといった報告もある[19]．加えて，PD-1/PD-L1阻害剤の抵抗性因子として，腫瘍細胞の抗原提示に必要なヒト白血球抗原（human leukocyte antigen：HLA）class Ⅰの欠損がある（図10）．筆者らは，胃癌をEBV関連胃癌，マイクロサテライト不安定性（microsatellite instability：MSI）胃癌，その他の胃癌に分けて検討した結果，PD-L1陽性率はEBV関連胃癌，次にMSI胃癌で高かったが，HLA class Ⅰの発現欠損率はMSI胃癌で最も高く，EBV関連胃癌やそ

の他の胃癌では低率であった．PD-L1を最も高発現し，HLA class Ⅰ発現欠損は比較的まれなEBV関連胃癌は，胃癌のなかでPD-1/PD-L1阻害剤の効果を得やすい可能性がある．現時点ではEBV関連胃癌に対するPD-1/PD-L1阻害剤治療効果に関するデータは不十分であるが，効果が高かったとする報告もなされている[20]．免疫チェックポイント阻害剤の効果予測マーカーとしては，PD-L1，MSI，腫瘍変異量（tumor mutation burden）などが用いられているが，まだまだ精度は不十分であり，今後はEBV感染やHLA class Ⅰなども含め，複雑な腫瘍免疫状態をより的確に捉え，治

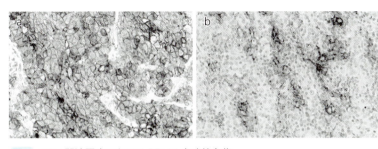

図9　EBV関連胃癌におけるPD-L1免疫染色像
a）腫瘍細胞がPD-L1陽性を示すEBV関連胃癌．腫瘍細胞の細胞膜がびまん性にPD-L1陽性を示す
b）免疫細胞がPD-L1陽性を示すEBV関連胃癌．リンパ球や組織球の細胞膜にPD-L1陽性像が認められるが，腫瘍細胞はPD-L1陰性
➡カラー口絵12参照

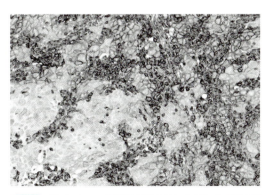

図10　HLA class Ⅰ発現が部分的に欠損したEBV関連胃癌
左下の腫瘍領域でHLA class Ⅰ発現欠損がみられる．その他領域の腫瘍細胞，および間質細胞ではHLA class Ⅰ発現が保たれている
➡カラー口絵13参照

療効果をより正確に予測可能な層別化アルゴリズムの確立が待たれる.

文 献

1) Murphy G, et al.：Meta-analysis shows that prevalence of Epstein-Barr virus-positive gastric cancer differs based on sex and anatomic location. Gastroenterology 2009；137：824-833.

2) Matsunou H, et al.：Characteristics of Epstein-Barr virus-associated gastric carcinoma with lymphoid stroma in Japan. Cancer 1996；77：1998-2004.

3) Watanabe H, et al.：Gastric carcinoma with lymphoid stroma. Its morphologic characteristics and prognostic correlations. Cancer 1976；38：232-243.

4) 日本胃癌学会（編）：胃癌取扱い規約. 第15版, 金原出版, 2017

5) Pyo J, et al.：Clinicopathological Features and Prognostic Implication of Gastric Carcinoma with Lymphoid Stroma. Gastroenterol Res Pract 2020；6628412.

6) 牛久哲男, 他：Epstein-Barr virus 関連胃癌. 胃と腸 2009；44：723-729.

7) Shinozaki A, et al.：Epstein-Barr virus-associated gastric carcinoma：a distinct carcinoma of gastric phenotype by claudin expression profiling. J Histochem Cytochem 2009；57：775-785.

8) Barua RR, et al.：Phenotype analysis by MUC2, MUC5AC, MUC6, and CD10 expression in Epstein-Barr virus-associated gastric carcinoma. J Gastroenterol 2006；41：733-739.

9) Nakamura Y, et al.：Mucin and differentiation in Epstein-Barr virus-associated gastric carcinoma. Hepatogastroenterology 2005；52：1066-1070.

10) Dottermusch M, et al.：Expression of the potential therapeutic target claudin-18.2 is frequently decreased in gastric cancer：results from a large Caucasian cohort study. Virchows Arch 2019；475：563-571.

11) Kyuno D, et al.：Claudin-18.2 as a therapeutic target in cancers：cumulative findings from basic research and clinical trials. Tissue Barriers 2022；10：1967080.

12) Shinozaki A, et al.：Downregulation of micro-RNA-200 in EBV-associated gastric carcinoma. Cancer Res 2010；70：4719-4727.

13) Lima Á, et al.：PD-L1 expression in EBV associated gastric cancer：a systematic review and meta-analysis. Discov Oncol 2022；13：19.

14) Gu L, et al.：PD-L1 and gastric cancer prognosis：A systematic review and meta-analysis. PLoS One 2017；12：e0182692.

15) Saito R, et al.：Overexpression and gene amplification of PD-L1 in cancer cells and PD-L1（＋）immune cells in Epstein-Barr virus-associated gastric cancer：the prognostic implications. Mod Pathol 2017；30：427-439.

16) Iwasaki A, et al.：Human Leukocyte Antigen Class I Deficiency in Gastric Carcinoma：An Adaptive Immune Evasion Strategy Most Common in Microsatellite Instable Tumors. Am J Surg Pathol 2021；45：1213-1220.

17) The Cancer Genome Atlas Research Network：Comprehensive molecular characterization of gastric adenocarcinoma. Nature 2014；513：202-209.

18) Kataoka K, et al.：Aberrant PD-L1 expression through 3'-UTR disruption in multiple cancers. Nature 2016；534：402-406.

19) Wang J, et al.：EBV miRNAs BART11 and BART17-3p promote immune escape through the enhancer-mediated transcription of PD-L1. Nat Commun 2022；13：866.

20) Kim S, et al.：Comprehensive molecular characterization of clinical responses to PD-1 inhibition in metastatic gastric cancer. Nat Med 2018；24：1449-1458.

4 EB ウイルス関連胃癌の臨床像

国立病院機構関門医療センター臨床研究部[*1]，山口大学大学院医学系研究科基礎検査学[*2]
柳井秀雄[*1]，西川　潤[*2]

はじめに

1990 年に Burke らによりはじめて Epstein-Barr ウイルス（Epstein-Barr virus：EBV）陽性の胃癌が報告されて以来，すでに 30 年以上が経過した[1]．近年では，EBV-encoded small RNA1（EBER1）を標的とした in situ hybridization（ISH）法の確立に伴い，ほぼすべての癌細胞の核が EBER1 陽性の胃癌を，EBV 関連胃癌（EBV-associated gastric cancer：EBVaGC）と呼んでいる[2]．EBVaGC 病変において，EBV は病変内のほぼ全ての胃癌細胞の核に存在しており，1 つの胃癌病変内の胃癌細胞に潜伏感染した EBV は単クローン性であるため，EBV は EBVaGC 病変の発がんの初期に関与していると推定されている[3]．2014 年には，The Cancer Genome Atlas Network により，EBV 陽性の胃癌が，胃癌の 4 つのサブタイプのうちの 1 つを占め DNA メチル化に富み programmed cell death 1-ligand 1（PD-L1）/L2 高増幅の特徴的なサブタイプであることが明らかとされた[4]．

このような EBVaGC は，早期ではリンパ節転移リスクが低く進行癌でもやや予後がよいことから，その診断や治療に資する臨床像の解明が求められている．本項では，筆者らの経験を踏まえつつ，「知っていれば見える」かもしれない EBVaGC の病態や診断などの臨床像について諸家の知見を概説する（表 1）．なお，EBVaGC の発がん分子機序および低いリンパ節転移リスクや免疫チェックポイント分子に関連した最新の治療などについては，本書の他項目に詳述されているので参照されたい．

表 1　EBVaGC の特徴

EBV 関連胃癌：EBER1-ISH にてほぼすべての癌細胞の核が陽性の病変
　胃癌の 4 つのサブタイプのうちの 1 つで，DNA メチル化に富む特徴的なサブタイプ，PD-L1/L2 高増幅
＜頻度・発生部位＞
　胃癌の 1 割弱を占める
　男性に多い
　胃の上部に多い・残胃癌で高頻度
　背景胃に慢性萎縮性胃炎がみられる
＜組織型＞
　低分化腺癌主体のリンパ球浸潤癌（carcinoma with lymphoid stroma：CLS）・分化型腺癌の部分では lace pattern が特徴的だが，通常の分化型腺癌の組織型をとる病変も多い
＜肉眼的特徴＞
　陥凹成分を有し境界不明瞭なものが多い
　粘膜下腫瘍様の形態とも関連（CLS による腫瘤の形成）
＜予後＞
　進行癌では同病期の EBV 陰性のものよりも予後がよい
　早期癌ではリンパ節転移が少ない

実臨床における EBV 関連胃癌の経験

筆者らは，1997 年に，内視鏡的切除例を含む胃癌切除例 117 例の 124 病変に対して EBER1-ISH による検索を行い EBVaGC 12 例 12 病変（9.7 ％）を同定し，その内視鏡像を報告した．EBVaGC 病変は，胃の上部の陥凹型病変が大部分を占め，リンパ球浸潤に富む低分化腺癌主体のリンパ球浸潤癌（carcinoma with lymphoid stroma：CLS），（Watanabe ら）の腫瘍形成により粘膜下腫瘍（submucosal tumor：SMT）様の隆起部を伴う場合が多かった[5,6]（図 1）．超音波内視鏡（endoscopic ultrasonography：EUS）で観察される粘膜下層の低エコー腫瘍像は，CLS の腫瘍を反映していた[7]（図 2）．さらに，残胃の癌の検討では，EBVaGC が 17 病変中 7 病変（41.8 ％）と高い割合を占めていた[8]．2007 年から 2017 年までに切除された胃癌 1,067 病変の検討（Yanagi ら）でも，80 病変（7.1 ％）が EBVaGC であり，男性の胃の上部や残胃に多く，平均年齢がやや若かった．EBVaGC 病変の組織像では，CLS が特徴的であるが，通常の分化型腺癌の組織像をとる場合も多かった（表 2）[9]．

他施設の検討では，Tokunaga らによるわが国の胃癌 1,848 病変の検討においても胃癌病変の 6.6 ％が EBVaGC であり，男性の胃の上部から中部に多かったとされている[10]．また，世界では，2009 年の Murphy らの胃癌 15,952 例のメタ解析で 8.7 ％，2015 年の Liu らの胃癌 8,336 例のメタ解析でも 9.3 ％を EBVaGC が占めている[11,12]．総合的に，EBVaGC は，胃癌の 1 割弱を占め，それ以外の胃癌よりもやや若く男性の胃の上部や残胃に多いといえる．なお，本書改訂中に報告された 2022 年の Hirabayashi らの世界の胃癌 68,000 例のメタ解析では，EBVaGC は胃癌の 7.5 ％を占めている（Hirabayashi M, et al.：Clin Gastroenterol Hepatol 2022；S1542-3565（22）00764-9 ［online ahead of print]）．

現在では，EBVaGC の診断のための組織学的な EBV 感染細胞の検出は，通常の胃生検標本や切除標本のホルマリン固定パラフィン包埋切片を用いて，他の特殊染色と同様に検査会社への EBER1-ISH 法の依頼で検討可能である．実臨床において，筆者らは，通常の化学療法でほぼ腫瘍が消失し 7 年以上の長期生存を得た残胃の手術不

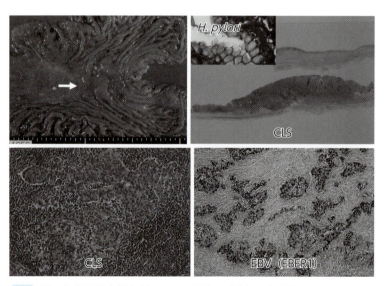

図 1 胃の上部（胃体上部小弯）の EBV 関連 3 型進行胃癌症例
50 歳代男性．CLS の組織型で，ほぼすべての腫瘍細胞が EBER1 陽性であり，EBVaGC 典型症例．ピロリ菌陽性
〔文献 5 より改変〕
➡カラー口絵 14 参照

能 EBV 関連進行胃癌症例を経験した（図3)[13]．また，吐血のため救急搬送され内視鏡的止血術を行った胃体上部の SMT 様隆起を伴う2型進行胃癌症例において，内視鏡的特徴から EBVaGC を疑い，漿膜下層までの壁深達度ながらリンパ節転移をみなかった EBVaGC 外科手術例も経験している（図4)．早期胃癌では，低分化腺癌主体で粘膜下層深部の深達度ながら内視鏡的胃粘膜下層剝離術（endoscopic submucosal dissection：ESD)による一括切除後6年以上無再発生存の EBV 関連早期胃癌の1例を経験した（図5)[14]．さらに，EUS での粘膜下層の低エコー腫瘤像を契機に EBVaGC を疑い，診断し得た症例も経験した（図6)．

　しかし，後述するように，筆者らが EBV 検索を行った下部食道-胃病変32例での EBVaGC 拾い上げの遡及的解析の成績は，残念ながら十分なものではなかった[15]．筆者らの実臨床において

も，EBVaGC は，決してまれな存在ではないにもかかわらず臨床医の眼を逃れている．

EBV 関連胃癌病変の組織像とリンパ球浸潤の臨床像へ与える影響

　Burke らは，1990年の最初の報告で，EBV 陽性の上咽頭癌（nasopharyngeal carcinoma：NPC)で経験されていた高度のリンパ球浸潤を伴う分化度の低い癌（リンパ上皮腫）と類似の組織型の胃癌病変が PCR 法で EBV 陽性であることを見出し，その組織型を，lymphoepithelial carcinoma と称した[1]．リンパ球浸潤に富む低分化腺癌主体の EBVaGC の組織像は，lymphoepithelioma-like carcinoma（LELC）とも表現されるが，その組織像は CLS とほぼ同様である[16]．しかし，Koriyama らのわが国の胃癌1,918例の検討では，EBVaGC の占める割合は組織像 intestinal type の病変で4.5%・diffuse type の病変で6.1%とも報告

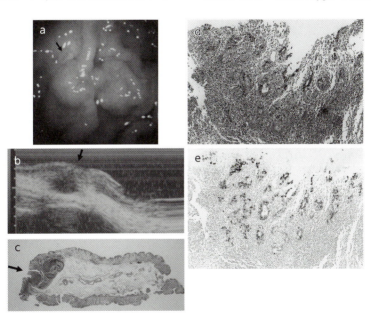

図2 EBV 関連早期胃癌内視鏡的粘膜切除術（endoscopic mucosal resection：EMR）例

a）胃体上部の SMT 様の0-Ⅱa 型病変
b）超音波内視鏡では，第3層（SM）内に低エコー腫瘤
c）胃生検では分化型であり EMR が実施された
d，e）CLS の組織型の EBER1 陽性 EBV 関連 SM 癌であった．外科手術を追加された
〔文献5より改変〕
➡カラー口絵15 参照

表2　EBVaGC と EBV 陰性の胃癌の比較（Yanagi ら）

	Total	EBV positive	EBV negative	p Value
Sex				
Male	735 (68.8%)	61 (88.4%)	674 (67.5%)	0.022
Female	332 (31.2%)	8 (11.6%)	324 (32.5%)	
Age (yrs, mean)		65.6	68.9	< 0.001
Location				
U	228 (20.1%)	30 (37.5%)	198 (18.8%)	< 0.001
M	520 (45.9%)	40 (50.0%)	480 (45.6%)	
L	356 (31.4%)	6 (7.5%)	350 (33.3%)	
Remnant stomach	28 (2.5%)	4 (5.0%)	24 (2.3%)	
Stage				
Early	603 (58.6%)	52 (65.0%)	551 (52.4%)	0.029
Advanced	529 (41.4%)	28 (35.0%)	501 (47.5%)	
Depth of invasion				
m	318 (28.1%)	19 (23.7%)	299 (28.4%)	< 0.001
sm	285 (25.2%)	33 (41.3%)	252 (24.0%)	
mp	126 (11.1%)	8 (10.0%)	118 (11.2%)	
ss	203 (17.9%)	10 (12.5%)	193 (18.3%)	
sei	200 (17.7%)	10 (12.5%)	190 (18.1%)	
Macroscopic type				
Protruded	192 (17.0%)	11 (13.8%)	181 (17.2%)	0.428
Depressed	940 (83.0%)	69 (86.2%)	871 (82.8%)	
Pathologic type				
Differentiated	610 (53.9%)	37 (46.3%)	573 (54.5%)	0.155
Undifferentiated	522 (46.1%)	43 (53.7%)	479 (45.5%)	
Lymphatic invasion				
Presence	536 (47.3%)	25 (31.3%)	511 (48.6%)	0.003
Absence	596 (52.7%)	55 (68.7%)	541 (51.4%)	
Venous invasion				
Presence	533 (47.1%)	25 (31.3%)	408 (38.8%)	0.182
Absence	599 (52.9%)	55 (68.7%)	644 (61.2%)	
Lymph node metastasis				
Presence	445 (41.6%)	25 (37.3%)	420 (42.1%)	0.169
Absence	622 (58.4%)	44 (63.7%)	578 (57.9%)	
CLS				
Presence	43 (3.8%)	26 (32.5%)	17 (1.6%)	< 0.001
Absence	1,089 (96.2%)	54 (67.5%)	1,035 (98.4%)	
Multiple cancers				
Presence	60 (5.6%)	10 (14.5%)	50 (5.0%)	< 0.001
Absence	1,007 (94.4%)	59 (85.5%)	948 (95.0%)	

EBV：Epstein-Barr virus, CLS：carcinoma with lymphoid stroma, m：mucosa, sm：submucosa, mp：muscularis propria, ss：subserosa, sei：serosal exposed cancer infiltrating to the adjacent organ.
〔文献9より引用〕

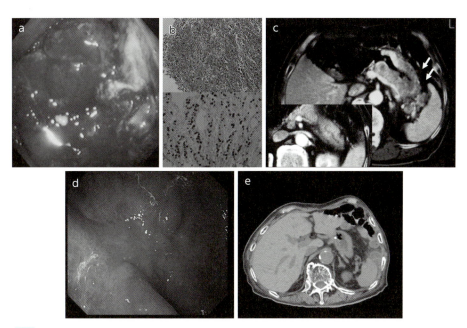

図3　EBV関連手術不能進行胃癌化学療法長期生存例

80歳代男性.
a）胃癌切除後の残胃大弯に発生した生検 Group V（tub2）の3型進行胃癌
b）後日の胃生検切片 EBER1-ISH にて胃癌細胞核に EBER1 陽性の EBVaGC であった
c）脾門部リンパ節転移・膵浸潤を伴い手術不能と判断された. 腹膜播種はなし
d，e）手術不能進行胃癌として，2004年4月より化学療法を開始した. 2012年の胃内視鏡検査では，胃癌病変はほぼ消失していたが，生検では胃癌組織がみられた. CT では標的病変は消失していた

〔文献13より改変〕

➡カラー口絵16 参照

されており，EBVaGC がすなわち未分化型であるということはできない[17]. 先に述べた Yanagi らの胃癌1,067病変の検討でも，EBVaGC であった80病変では，分化型が46.3％，未分化型が53.7％を占め，CLS ありとされた病変は32.5％である. CLS の割合は EBV 陰性の胃癌での1.6％に比して有意に多いが，EBVaGC 病変の組織型がすなわち CLS とはいえない[9]. わが国の胃癌取扱い規約（第15版　2017年10月，金原出版）においても，リンパ球浸潤癌について，「癌細胞が，著明なリンパ球浸潤を背景にして，充実性，腺房状あるいは腺腔形成の明らかでない小胞巣状に増生する低分化腺癌である. 胚中心を伴ったリンパ濾胞の増生も特徴的である. 粘膜内病変は分化型であることが多い. この癌では，*in situ* hybridization 法でEpstein-Barr virus（EBV）の感染が90％以上に証明される. ただし，一般型の癌でも EBV が証明されることがある.」と記述されている.

　EBVaGC に特徴的とされる組織像として，さらに，中分化型管状腺癌の一部に相当する lace pattern が知られている[18]（図7）. Lace pattern は，レース編み様と表現されるように，網目状・融合状の腺管よりなる組織像であり，intestinal type と diffuse type のいずれの EBVaGC においてもみられるとされる. これらの組織像は，同一病変内で連続して移行していることが多い. EBVaGC では，粘液形質は胃型か null と報告されている[19]. このような表層の中分化型管状腺癌の部分から深部の低分化腺癌の部分へ徐々に腺管構造を失い分化度を低下させていく EBVaGC 病変内部での組織型の多様性は，EBV に関連した宿主細胞 DNA メチル化に富む胃癌細胞が種々のプロモーターのメチル化などにより徐々に上皮細胞の性質を喪失しつつ増殖浸潤していく過程を示し

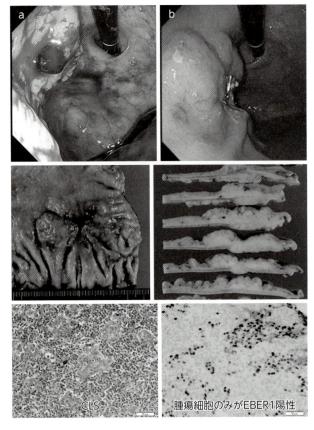

腫瘍細胞のみがEBER1陽性

図4　吐血で救急搬送された EBVaGC の一例

70 歳代女性

a）緊急内視鏡検査で胃体上部後壁に滲出性出血を伴う腫瘍を認め，クリップで止血した

b）2 日後の上部消化管内視鏡検査像では，陥凹主体の病変ながら周囲は SMT 様に隆起している．EBVaGC を強く疑った．生検 Group5（por，CLS）．後日，胃全摘

病理結果：gastric carcinoma with lymphoid stroma（CLS），EBER1＋．U，Post，Type 3，55 × 35 mm，pT3（SS），int，INFb，Ly0（D2-40），V1（EVG），pPM0，pDM0，pN0

SS，V1 ながら明らかな転移病変なし．術後補助化学療法は，悪心のため 3 日間で中止．術後約 2 年半以上，再発なく健在

➡カラー口絵 17 参照

ているのかもしれない（図 8）．

　EBVaGC 病変の内視鏡診断・EUS 診断・生検診断などにおいては，この「表層では分化型腺癌そして深部では CLS を形成するリンパ球浸潤に富む低分化腺癌」という組織学的な多様性に留意する必要がある．また，粘膜病変部での分化型の部分や胃炎性変化と類似したリンパ球浸潤の存在は，EBVaGC 病変の存在の認識や病変の境界診断を困難とする要素であると思われる（図 9）．

　一方，EBV 潜伏感染様式の面では，EBVaGC は，EBV 特異的細胞傷害性 T 細胞（cytotoxic T lymphocyte：CTL）に感知されにくい EBV determined nuclear antigen 1（EBNA1）のみ発現の latency Ⅰの状態である．ところが，実際には EBVaGC 細胞周囲には CD8 陽性の腫瘍浸潤リンパ球（tumor infiltrating lymphocyte：TIL）が多数集まっている[20]．この宿主の細胞性免疫反応がなぜ EBV 潜伏感染腫瘍細胞をすべて破壊し得ないのかは十分に解明されていないが，EBVaGC

では PD-L1，L2 の高増幅が指摘されており免疫チェックポイント分子の関与が推定される．さらに，近年では EBVaGC 病変における制御性 T 細胞の関与についての報告もみられ，将来の治療戦略への寄与が興味深い[21]．EBV 関連早期胃癌においても脈管侵襲を伴う粘膜下層深部浸潤病変では EBV を保持した胃癌細胞のリンパ節転移がみられ進行していくが，臨床的意義として，この TIL（宿主の炎症性反応）の存在は，EBVaGC の転移の抑制や予後の改善に役立っているものと考えられている[22, 23]．TIL の存在は，EBVaGC で筆者らの経験も含めて通常の化学療法の著効症例が散見される要因かもしれない[13]．今後の EBVaGC に対する免疫チェック分子阻害剤の有効性の検討や，さらには新たな光免疫療法の応用にも，期待がもたれる（p.54「特別寄稿　光免疫療法による胃癌治療への期待（NIR-PIT of gastric cancer）」参照）．

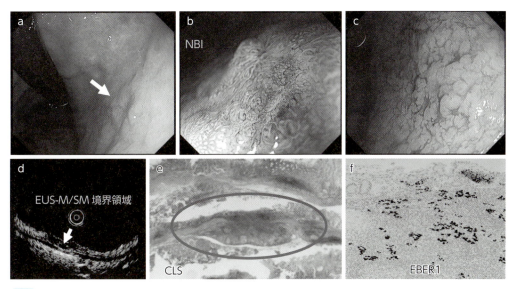

図5　ESDで加療したEBVaGC症例（SM2, Ly0，一括切除）

70歳代男性
a-d）胃体中部　0-Ⅱc
e，f）ESD一括切除（por（CLS）．SM2）
11 × 7 mm，por；CLS（EBER＋），SM2（0.8 mm），Ly0，V0，HM0，VM0
低分化腺癌主体CLSのSM2癌にて追加外科手術を勧めるも希望されず，経過観察中．6年間以上再発なし．
将来のESD適応拡大の候補か？
〔文献14より改変引用〕
➡カラー口絵18 参照

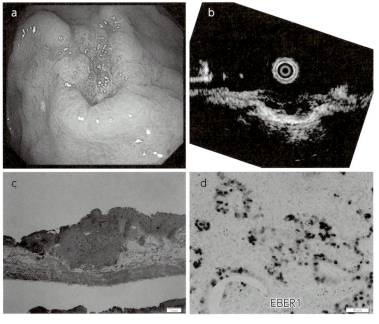

図6　EUSでの粘膜下層の低エコー腫瘍像を契機にEBVaGCを疑い，診断し得た症例

50歳代男性．ピロリ菌除菌成功後で胃粘膜萎縮はO2
他院検診EGDにて胃体上部後壁の胃粘膜萎縮境界近傍の不整形発赤陥凹からの生検でGroup5（tub1）
a，b）EUSにて第3層（粘膜下層に相当）に低エコー腫瘍を認め，粘膜下層深部浸潤を伴うEBVaGCを強く疑った
c，d）外科手術の結果，tub2主体（リンパ球浸潤が目立つ），EBER1陽性，pT1b（SM2），Ly0，V1aで，リンパ節転移はみられなかった
〔協力：村田建一郎先生〕
➡カラー口絵19 参照

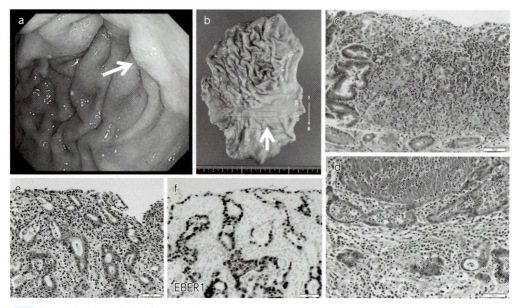

図7　内視鏡像（残胃，軽度隆起）を契機に EBV を検索した症例
70歳代男性
a, b) 内視鏡像（残胃，軽度隆起）を契機に EBER1 を検索，生検は Group5（tub2）
c, d) 手術結果：18 × 13 mm, tub2 ≫ por, CLS, SM1, pT1b1, INFa, med, Ly0, V0, pPM0（28 mm），
　　　pDM0（50 mm），pN0
e, f) 中分化型管状腺癌，lace pattern の像．EBER1 陽性
➡カラー口絵 20 参照

EBV 関連胃癌と抗 EBV 抗体系・血漿 EBV DNA

　EBV 関連疾患のうち，NPCでは，EBV の viral capsid antigen（VCA）に対する VCA–IgA が高値となり病勢に応じて上下するとされ，その診断的価値が知られている．EBVaGC に関して，日本人男性の胃癌 54 例と対照 54 例の胃癌診断の 5〜10 年以上前の保存血清を用いた Levine らの報告では，EBVaGC を発症した群（14 名）の VCA–IgG は対照群（54 名）よりも有意に高値であり，これに対して EBV 陰性胃癌を発症した群（40 名）では VCA–IgG は対照群とほぼ同様であった[24]．Imai らの胃癌 1,000 例中 70 例（7 %）の EBVaGC の検討においても，14 例の EBVaGC 患者と年齢をマッチさせた EBV 陰性胃癌患者 14 例および健常人 24 例の比較で，EBVaGC 患者では VCA–IgG および EBV early antigen（EA）-IgG が有意に高値であった．EBNA 抗体には差がなかった[3]．Camargo らは，EBV 陽性の胃癌症例では陰性の胃癌症例に比べて抗 EA-D 抗体や抗 Zta replication activator（ZEBRA）抗体の陽性率が高く，EBV の再活性化が関与しているのではないかと報告している[25]．さらに Song らも EBV 再活性化に関連した抗体系の測定が EBVaGC の診断や治療に役立つ可能性を示唆している[26]．ただしこの場合，「EBV の再活性化」は，EBV の感染細胞における潜伏感染から溶解感染への移行のことであるため EBV 感染細胞の破壊を意味しており，「胃癌組織の活性化ではない」点に注意を要する．また，Varga らは，中国・日本・韓国の胃癌 1,447 症例と対照の 1,797 例において各種抗 EBV 抗体価は胃癌リスクに関連しなかったと報告している[27]．

　これらの報告は，EBVaGC の診断や経過観察において抗 EBV 抗体測定がはたす役割を示唆して

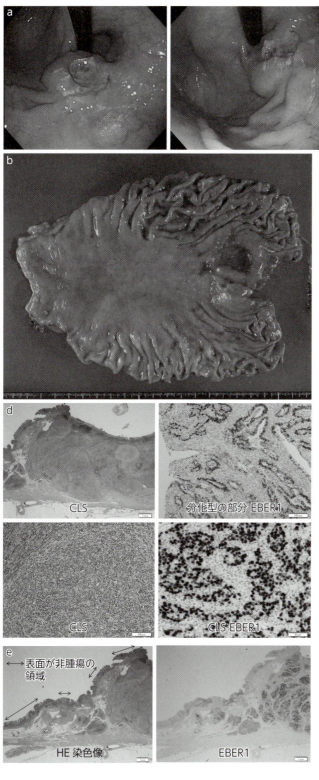

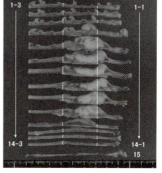

図8 胃の上部（噴門近傍）の EBV 関連 2 型進行胃癌症例

70 歳代女性

a) 上部消化管内視鏡検査では，噴門近傍の小弯側前壁よりに，SMT 様の部位および境界不明瞭部位を有する 2 型腫瘍がみられる

b) 胃切除標本．胃の上部（噴門近傍）の 2 型病変．gastric carcinoma with lymphoid stroma（CLS），por1 > tub2 > tub1，MP，pT2，Ly0，V0，pN0，EBER（＋），ピロリ菌（＋），HER2 score：1 ＋

c) 腫瘍は，胃粘膜萎縮境界近傍に存在し，切除標本割面では白色調の腫瘍として観察され，辺縁では SMT 様に発育している

d) 割面で白色調腫瘍の部分は，リンパ球浸潤に富む未分化型腺癌（CLS）により形成されている．腫瘍表面には分化型の部分が残存し，深部の未分化型の部分へ向かって分化度の低下がみられる．ほぼすべての胃癌細胞の核は EBER1 陽性である

e) CLS 腫瘍の一部は，非腫瘍上皮で覆われており，SMT 様の形態をとっている

〔協力：小畑伸一先生，村上知之先生，古谷卓三先生〕

➡カラー口絵 21 参照

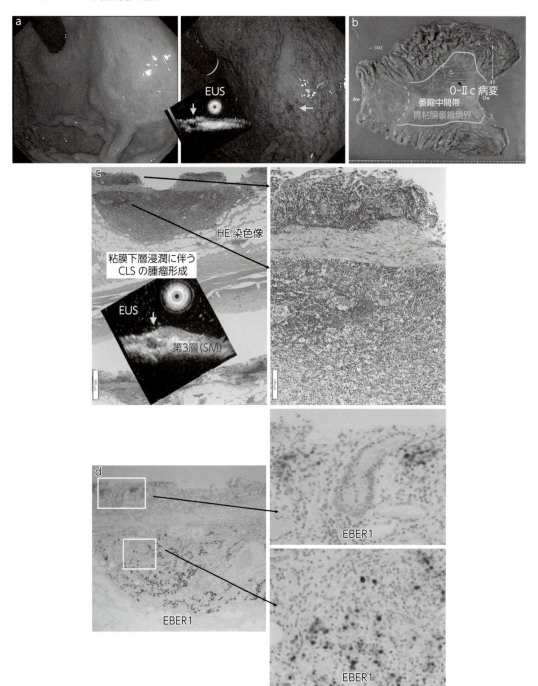

図9　EBV 関連 0-Ⅱc 型早期胃癌症例

70 歳代男性

a) 胃の上部（胃体上部前壁）の，径 3 cm ほどで境界不明瞭な発赤調軽度陥凹性病変．中央に小びらんを伴う 0-Ⅱc 型．EUS では，第 3 層（粘膜下層に相当）に，深さ 2 mm の低エコー腫瘤がみられる．生検 Group5（tub2）

b) 胃切除標本．胃の上部（胃体上部前壁）の胃粘膜萎縮境界近傍の 0-Ⅱc 型病変．34 × 34 mm, gastric carcinoma with lymphoid stroma（CLS），por1 > tub2，SM2，pT1b，Ly0，V0，pN0，EBER（+），ピロリ菌（+）

c) EUS にて低エコー腫瘤のみられた部位には，腫瘍の粘膜下層浸潤に伴い著明なリンパ球浸潤により形成された CLS の腫瘤がみられる

d) 粘膜内および粘膜下層の胃癌細胞は，ほぼすべて EBER1 陽性である

〔協力：帆足誠司先生，村上知之先生，古谷卓三先生〕　　　　　　　　　　　　　　➡カラー口絵 22 参照

いる．しかし，EBV はほぼすべての成人が保有しており，抗 EBV 抗体価は胃癌以外の EBV 関連の他の病態にも左右されると考えられるため，胃癌診断における抗 EBV 抗体測定の実際の有用性は，いまだ定かとはいえない．

さらに，EBVaGC 症例の血液検体での検討として，Shoda らは，EBVaGC 症例 14 例においてcell-free EBV DNA の測定が病勢や治療効果判定に役立つ可能性を示唆しており今後の研究の進展が期待される[28]．また，Qiu らもまた，140 例のEBVaGC 症例の血漿中の EBV DNA を測定し，61 例が 100 copies/mL のカットオフ以上でありその値が病勢に関連していたことから，血漿 EBVDNA の測定が化学療法反応性のマーカーとなりうるのではないかと報告している[29]．

EBV 関連胃癌の存在部位と肉眼像

EBVaGC の存在部位としては，Yanagi らのEBVaGC 80 病変では，その 87.5％（70 病変）が胃の上部-中部（U，M 領域）に存在していた[9]．Tokunaga らの 122 病変の検討においても同様に，EBVaGC 病変は主として胃の上部から中部に位置している[10]．さらに Song らの手術が行われた EBVaGC 123 例と EBV 陰性の胃癌 405 例の検討でも，EBVaGC の 83.8％が胃の上部-中部に存在しており（上部 23.6％・中部 60.2％・下部 16.2％），胃の下部に多い EBV 陰性胃癌の分布（上部 6.12％・中部 43.9％・下部 49.9％）と有意に異なっている[22]．また，筆者らの報告を含む EBVaGC に関する論文 70 編を対象としたMurphy らによる 2009 年の meta-analysis では，EBER1-ISH による検索が行われた胃癌 15,952 例において，EBV 陽性率は胃癌全体では 8.7％，噴門部で 13.6％・胃体部で 13.1％・前庭部で 5.2％であり，やはり EBVaGC は胃の上部に有意に多かったとされている．術後吻合部・残胃の胃癌では，EBVaGC が 35.1％を占めている[11]．

EBVaGC の肉眼像には，その組織像が反映される．すでに述べたように，EBVaGC 病変では，粘膜内では分化型管状腺癌の形をとり深部浸潤に伴い未分化型へと移行していく場合がしばしば経験される．このような粘膜病変の多くは，表面陥凹型（0-Ⅱc）の形態をとるが，体部大弯などで分化型成分が 0-Ⅱa 型の腫瘍を形成する場合もある（図 5，6，9，10）．

EBVaGC 病変の肉眼型は，Yanagi の集計による 80 病変では，69 病変（86.2％）が陥凹主体である[9]．CLS の組織型は，腫瘍の粘膜下層浸潤にともない多数のリンパ球浸潤が生じることにより典型的となり，粘膜下層の断面では比較的境界明瞭な腫瘍を形成する．このような CLS の腫瘍は，サイズが増大すると，肉眼的・内視鏡的には SMT 様の形態を呈する．内視鏡的には，腫瘍細胞周囲のリンパ球浸潤による CLS の腫瘍が厚みを増すに従い，表面ではやや境界不明瞭な 0-Ⅱc 型から若干の厚みを伴う 0-Ⅱa＋Ⅱc 型を経て，潰瘍を伴う SMT 様の 2 型から深部浸潤により 3 型を呈する（図 1，4，8，11）．EUS では，この多数のリンパ球浸潤を伴う CLS 病変を，胃壁第 3 層（SM）内の SMT 様の低エコー腫瘍として観察することができる[7]（図 2，5，6，9，10）．胃の CLS 多数例（274 例）についての Lim らの検討においても，CLS 病変の肉眼型は，一般的な低分化腺癌でのびまん浸潤とは異なり 4 型はまれで，表面型41.2％・1 型 2.2％・2 型 20.1％・3 型 35.8％・4 型0.7％と報告されている[30]．

EBV 関連胃癌と背景の慢性萎縮性胃炎

EBVaGC は，その発見の当初，「胃の上部に存在する未分化型の腺癌」との特性から，ピロリ菌（Helicobacter pylori）による慢性胃炎を介した発がんとは別の発がん経路を辿って発生する胃癌ではないかとも考えられた．しかし，これに対して，筆者らを含むいくつかの検討では，EBVaGC の背景胃にはピロリ菌感染と関連の深い慢性萎縮性胃炎の組織像がみられている[20,31,32]．さらに，最近の Camargo らの EBV 陽性胃癌 58 例と EBV 陰性胃癌 111 例での 15 種のピロリ菌抗原に対する抗体の比較検討では，総合的な抗ピロリ菌抗体陽性率は，EBV 陽性群で 95％，EBV 陰性群で 92％であり，EBVaGC 症例の大部分は抗ピロリ菌抗体陽性であった[33]．

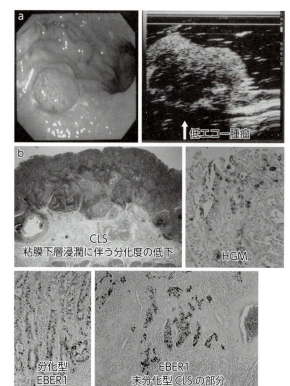

図10 60歳代男性，EBV関連0-Ⅱa型早期胃癌症例

a) 上部消化管内視鏡検査では，胃体中部大弯の，後壁寄りに，0-Ⅱa型病変がみられる．EUSでは，腫瘍深部の第3層（粘膜下層に相当）に，一見濾胞性リンパ腫様の低エコー腫瘤がみられる

b) 腫瘍の表層部は分化型で胃型粘液（human gastric mucin）を有しており，深部で分化度の低下を認め著明なリンパ球浸潤を伴う未分化型の腺癌（CLS）の組織型を呈していた

〔Nakamura Y, et al. Hepatogastroenterol 2005；52：1066-1070．より改変引用〕

➡カラー口絵23参照

このため，EBVaGCの大部分はピロリ菌による慢性萎縮性胃炎を背景として発生するものと考えられる．ピロリ菌除菌成功後に発生したEBVaGC症例は，やはり慢性萎縮性胃炎との関与が排除できない[34]．しかし，比較的まれながら，ピロリ菌陰性とされるEBVaGC症例の報告もみられる[35,36]．

一方，EBVaGC病変は通常のピロリ菌胃炎を背景とする分化型腺癌とは異なる胃の上部に好発している．この点について，筆者らの自験例では，EBVaGCの多くは，胃の上部ながら，木村-竹本分類でC3-O1程度の，胃底腺領域が萎縮していく胃粘膜萎縮境界近傍の萎縮中間帯側に存在していた．また，EBVaGC手術例では，胃癌病変の周囲にEBV陰性の通常の組織型の胃癌の周囲と同様に，胃粘膜の萎縮性変化がみられた[31,37]（図9）．すなわち，通常の分化型胃癌病変が，萎縮性変化の強い前庭部や胃角部から胃体部の小弯に好発するのに対し，EBVaGC病変は，ピロリ菌による慢性胃炎を有する胃の胃体部の胃粘膜萎縮境界

近傍という特徴ある部位への関連の強い胃癌病変ともいえる．

EBVaGC病変の多くが位置する「胃粘膜萎縮境界近傍」は，胃粘膜の萎縮性変化のフロントであるが，組織学的には慢性活動性の炎症性変化（リンパ球浸潤・好中球浸潤）が強く，かつ腺管の萎縮や胃底腺から偽幽門腺・腸上皮化生などへの腺管改築の場でもある．通常のEBV既感染健常成人では，約100万個に1個のBリンパ球がEBV陽性であると考えられていることから，EBVは，このピロリ菌胃炎による慢性炎症に乗じて胃粘膜へ出現するのではないかと考えられる．実験的にも，EBV感染レセプターであるCD21を有さない胃上皮細胞へのEBV感染の効率は低く，胃上皮細胞株へのEBVの感染にはEBV陽性リンパ腫細胞株との共培養を要する[38]．このため，筆者らは，臨床例の胃においては，ピロリ菌感染などによる粘膜層での持続的かつ高度の炎症性変化の存在が，胃粘膜におけるEBV潜伏感染Bリンパ球から胃上皮細胞へのEBV感染が成立するうえで

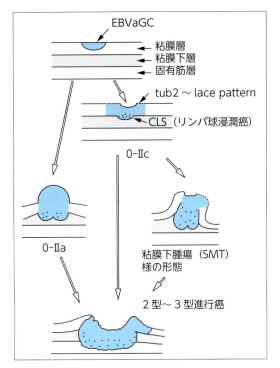

EBV関連胃癌の肉眼型と発育経過は，特徴的な組織型により規定される．粘膜内病変の段階では，分化型（tub2~lace pattern）の場合も未分化型の場合もある．EBV関連早期胃癌の多くは表面陥凹型（0-IIc）の形態をとるが，粘膜層の分化型癌の部分が増殖すると表面隆起型（0-IIa）となる場合もある．いずれにせよ，腫瘍が粘膜下層へ浸潤すると，腫瘍の分化度が低下し著明なリンパ球浸潤を伴い，特徴的なリンパ球浸潤癌（CLS）の形態をとる場合がある．CLSは，粘膜下層において濾胞性リンパ腫のような超音波内視鏡（EUS）で低エコーの比較的境界明瞭な腫瘍を形成する．このため，病変の肉眼像は，粘膜下腫瘍様となる場合もある．EBV関連胃癌は，このような発育経過により，最終的には2型あるいは3型進行癌の形態へ至るものと考えられる．通常の未分化型癌と異なり4型はまれである

CLS：carcinoma with lymphoid stroma
EUS：endoscopic ultrasonography

重要なのではないかと考えている．

　また，切除胃標本でのEBER1-ISHによるEBV感染細胞の検索では，時に，胃癌病変部以外の胃粘膜に散在性に一部EBER1陽性の上皮細胞を有する非腫瘍腺管がみられることが経験される．しかし，このような非癌胃粘膜におけるEBER1陽性上皮細胞は，通常の増殖帯から粘膜最表層へ至る胃粘膜細胞動態により数日で胃内腔へ失われて

いくものと考えられ，EBVaGC発生の初期像とは考えにくい．このため，筆者らは，EBVaGCの発生には，胃上皮細胞のEBVの感染による不死化のみならず，胃粘膜萎縮境界での腺管改築による胃粘膜細胞動態の乱れが不死化細胞の定着環境として必要なのではないかとも推測している．ピロリ菌胃炎を背景としたEBVaGC変発生の分子機構については，Fukayamaらにより「Gastritis-Infection-Cancer Sequence」の概念が示されている[39]．

残胃におけるEBV関連胃癌

　胃部分切除後の残胃が胃癌発生のリスクを有することは，従来よく知られてきた．その発癌要因としては，吻合部そのものが発がんリスクであるとか逆流腸液に含まれる胆汁酸の作用が重要であるなどと考えられてきたが，詳細はいまだ不明である．EBVaGCの初期の検討において，意外なことに，Yamamotoらにより残胃癌の27.1%（48例中13例）がEBVaGCであることが見出された[40]．Nishikawaらの検討でも，残胃癌の41.2%（17例中7例）がEBVaGCであり，いずれも術後20年ほどを経過したBillroth-II法吻合部に発生しており周囲に萎縮性変化を伴うリンパ球浸潤に富む未分化型癌であった[8]．さらにKaizakiらは，残胃癌122例（初回術後10年以上経過して発生したde novo残胃癌と10年未満で発生したmetachronous残胃癌）の検討を行い，de novo残胃癌の23%がEBVaGCであり，これは残胃ではない胃の上部の胃癌での18%との有意差は無かったとしている．彼らの報告ではEBV関連の残胃癌は，男性であること，gastritis cystica polyposaを有すること，初回術後20年以上の経過していること，との関連が大きく，その6割程度において非癌胃粘膜には過形成や中等度の萎縮および軽度のリンパ球浸潤がみられている．初回手術時が胃癌であった症例で，初回の胃癌と第2病変である残胃の胃癌との双方をペアで検索しえた27例では，初回がEBVaGCであった9例中の6例のみにおいて残胃の癌もEBVaGCであったとのことである[41]．

残胃における EBVaGC の頻度については，すでに紹介した Murphy らの 2009 年のメタ解析においても，吻合部-残胃の癌では，その 35.1％が EBER1 陽性である．2020 年の Lu らのメタ解析でも，やはり，残胃癌 362 病変中 91 病変（25.14％）が EBVaGC であり，Billroth-Ⅱ法再建の吻合部に多かったとされている[42]．

残胃の癌に EBVaGC が高い割合を占めていることは，そもそも残胃そのものが EBVaGC の好発部位である胃の上部であることを勘案しても，gastritis cystica polyposa と EBV の関連など興味深い問題を提起している（図 3，7）．残胃の癌に対する治療は，患者に大きな身体的負担を強いる場合がある．残胃の EBVaGC の自然史や発癌機序の解明は，今後の重要な研究課題の 1 つである．

▎EBV 関連胃癌病変の内視鏡診断

ここまでに述べた EBVaGC の病態を踏まえて，EBVaGC の内視鏡的診断について現時点での筆者らの経験を中心にまとめてみたい．EBVaGC の内視鏡診断のポイントは，存在部位（胃の上部の萎縮境界近傍，残胃）・陥凹型（2 型・3 型や 0-Ⅱc 型）主体で CLS の腫瘍を反映した SMT 様隆起を伴う，の 2 点があげられる．しかし，表層に分化型の部分を有することも多く，粘膜病変での EBVaGC の内視鏡診断は容易ではない．

近年の早期胃癌 ESD の適応拡大の傾向や免疫チェックポイント阻害剤を含む胃癌治療の進歩により，早期癌でリンパ節転移リスクが低く進行癌でも比較的予後のよい EBVaGC の診断は，今後重要性を増していくと考えられる．しかし，すべての胃癌病変に対して胃癌の 1 割弱と想定される EBVaGC 診断のための EBV 検索を行うことは，現時点では現実的といえない．このため，筆者らの施設で EBVaGC の知識のある内視鏡医と病理医が，胃の上部（残胃含む）・SMT 様隆起を内視鏡的な契機，CLS や CLS 様の組織型を病理学的な契機として，おのおのの判断で EBER1-ISH による EBV 検索を行った噴門部-胃上部病変の 32 例の結果を解析した[15]．実臨床の経過であるため，内視鏡検査や生検の時点では，対象の噴門部-胃上部病変が実際に胃癌であるか否かは判明していない．これら内視鏡的あるいは病理学的契機で EBV 検索を行った噴門部-胃上部の 32 病変のうち，非定型的な病変を除く 26 例では，11 病変（42.3％）が EBVaGC であった．

内視鏡的契機による検索では，内視鏡検査時に予測困難であった内分泌細胞癌・肝様腺癌・胃の T 細胞性リンパ腫などの胃壁の肥厚を伴う非定型的な胃腫瘍と EBVaGC の鑑別が困難であった．CLS を含む胃腺癌 14 例でも，粘膜下嚢胞や粘液癌や炎症性変化などの除外が困難で，内視鏡的契機での EBVaGC の診断率は，一般的な陽性率の 1 割弱よりはよいものの 21.4％にとどまった．また，病理学的契機による検索では，食道腺癌や食道扁平上皮癌と判明した噴門部病変を除く 12 病変中 8 病変（66.7％）が EBVaGC であった．ただし，対象のなかには，生検所見では中分化型管状腺癌であったが噴門部近傍の SMT 様隆起を伴う 2 型病変であり，内視鏡的契機による EBV 検索で EBVaGC と判明し化学療法の参考になった手術不能進行胃癌症例が含まれていた（図 12）．このような生検切片のみの検討で切除組織がなく病理学的契機を欠く化学療法前の症例などでは，内視鏡的契機での EBV 検索が重要である．

これらの経験から，筆者らは現時点では，病理学的に CLS のみられる場合や，生検では粘膜表層のみの採取で CLS のない分化型腺癌であっても治療法として化学療法や ESD 適応拡大（あるいは相対適応）を考慮する場合には，生検切片での積極的な EBER1 検索を行うのがよいのではないかと考えている．

EBVaGC の内視鏡診断について，近年確立されている早期胃癌の narrow band imaging（NBI）拡大観察の面からもいくつかの経験が報告されている[43,44]．三宅らは EBVaGC 7 例 8 病変について，microsurface（MS）pattern と microvascular（MV）pattern の VS 分類で EBVaGC は irregular から absent の MS と irregular MV（半数はネットワーク状の血管を形成しない蛇行の少ない不整血管）を呈していたと報告している[45]．さらに Suzuki らは，ESD を行った 618 病変のうち

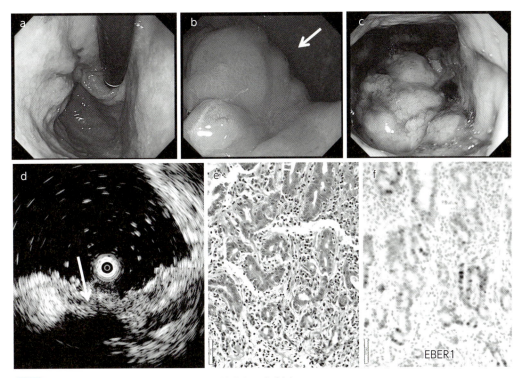

図12　内視鏡的に EBVaGC を疑った手術不能進行胃癌症例

70 歳代男性．噴門部近傍 3 型　生検 Group5（tub2）

a-d）胃の上部，周囲に SMT 様隆起を伴い，深部に低エコー腫瘤を見るため，EBVaGC を強く疑った

e，f）生検は分化型であったが，内視鏡的に EBVaGC を強く疑い，生検切片で EBER1 を検索し陽性であった

cT4a，N2，M1（#16），cStage Ⅳ，手術不能進行胃癌ながら EBVaGC であったため，化学療法の効果を期待した．化学療法（S1 + CDDP 9 か月）で転移リンパ節が縮小し手術（conversion therapy）施行，tub2，pT4a（SE），N+．術後化学療法で約 1 年間は健在であったが，初診から約 2 年 3 か月後に癌性腹膜炎にて原病死された

〔協力：矢原　昇先生，林　弘人先生〕

➡カラー口絵 24 参照

EBVaGC であった 12 病変（1.9％）の内視鏡像を検討し，endoscopic lace pattern として，absent か obscure の MS と tiny，dense，and irregular subepithelial capillary network の MV を提示している[46]．病変表層部の拡大観察所見から EBVaGC と通常の中分化型管状腺癌の鑑別ができるか否かについて，今後の検討に期待したい．

EBV 関連胃癌病変の EUS などによる診断の可能性

EBVaGC 病変では特徴的な CLS 像を呈することは Yanagi らの 80 病変で 32.5％（26 病変）と当初想定されたよりも高くないことが明らかとなりつつあるが，それ以外の病変においても TIL の浸潤による病変部の壁肥厚が存在する．筆者らは検討の初期に EUS での粘膜下層の低エコー腫瘤が CLS を反映することを報告した[7]（図2，10）．Nishikawa らは，さらに超音波内視鏡下穿刺生検（ESU-guided fine needle biopsy）により確診し得た CLS を呈する EBVaGC 病変を経験している[47]．このように EUS では，EBVaGC 病変深部の CLS が低エコー腫瘤として観察され診断に役立つことがあるが（図6），類似の EUS 像で EBV 陰性の病変も報告されており EUS 診断症例の蓄積が待たれる．

EBVaGC 病変による腫瘤形成や壁肥厚は，リンパ腫や間葉系腫瘍との鑑別が困難な場合があるが，CT においても胃の上部の壁肥厚や FDG 取り

込みなどに着目した検討がなされている[48]．

さらに，病理診断の分野では通常のHE染色標本像でのEBVaGCやmicrosatellite instability（MSI）statusのdeep learning classifiers開発の試みが為されている[49]．特徴的な肉眼像を呈するEBVaGCの画像診断における人工知能応用の有用性が期待される．

■ EBV関連胃癌の予後

EBVaGCの予後は，EBV陰性の通常の胃癌に比してよいとされる．SongらのEBVaGC 123例と対照の胃癌405例の比較では，EBVaGC群の5年生存率は，overallで71.4％・disease-freeで67.5％であり，対照群の56.1％・55.2％よりも良好であった．Overallおよびdisease-freeの平均生存期間は，EBVaGC群で112.3か月および108.6か月，対照群で98.7か月および94.7か月であり，EBVaGC例の生存期間は対照の胃癌例と比較して有意に長かったと報告されている[22]．彼らの検討では，このようにEBVaGCの予後が対照と比較して良好な要因として，リンパ上皮腫様胃癌LELCの組織像のような宿主の炎症性反応をあげている．彼らは，EBVaGCのうち分化型癌の周囲に比較的少ないリンパ球浸潤を伴うCrohn病様リンパ球反応（Crohn's disease-like lymphocytic reaction：CLR）の病変もまたLELCと同じく他の胃癌よりも予後がよく，CLRもLELCに含めるべきと報告している．また，Camargoらは，1976年から2010年までの13の検討（アジア8・ヨーロッパ3・ラテンアメリカ2）の胃癌4,599例のpooled analysisを行った．その結果，EBVaGCの占める割合は8.2％であり，腫瘍がEBV陽性であることはステージ等調整後の低い死亡率と関連していたとしている[50]．2015年のLiuらによる胃癌8,336症例のメタ解析においても，EBVはアジア人胃癌患者における予後良好因子であったと報告されている[12]．

Watanabeらは，すでに1970年代に，胃のGCLSを進行胃癌であっても比較的予後のよい組織型として報告していたが，現在ではその大部分がEBVaGCであることが知られている[6]．CLS

の一部はEBV陰性であるが，この点について，Limらの報告では，EBV陽性CLSとEBV陰性CLSを比較するとEBV陽性CLSのほうが予後がよく，EBV陰性CLSの予後は，EBV陰性の通常の組織型の胃癌と同程度とのことである[30]．Choらは，2018年の報告で，EBV陽性のCLSではEBV陰性のCLSよりもTILの密度が高く，TIL密度は予後のマーカーかもしれないとしている[51]．

■ 非癌胃粘膜におけるEBVとピロリ菌

EBVaGCは，原発性の胃腺癌病変であり，非腫瘍胃粘膜を発生母地として発生する．では，EBVは，どこから・いつ・どのように，胃上皮細胞へと感染するのであろうか．EBV関連疾患の検索の過程において，消化管の非腫瘍粘膜において，少数の症例で炎症部位に散在性のEBV陽性Bリンパ球がみられることが経験されてきた．EBVの胃粘膜上皮細胞への感染経路としては，当初は嚥下された唾液内のEBV粒子からの感染の可能性も考慮されたが，近年では実験的なEBV陽性リンパ球と上皮細胞の共培養による感染成立などから，この胃粘膜内のEBV陽性Bリンパ球からの胃上皮細胞への感染が有力と考えられている．

通常のEBV既感染者において，Bリンパ球の100万個に1個とされるEBV陽性Bリンパ球が胃に出現する機会をつくる慢性炎症の要因は，ピロリ菌感染による慢性胃炎ではないかと考えられる．以前より伝染性単核球症の部分症としての胃粘膜へのEBV感染B細胞の浸潤による胃病変の報告が散見され，「EBV gastritis」の用語もみられるが，これは一過性の病態で慢性の経過をとるものではない[52,53]．

このため，筆者らは，慢性萎縮性胃炎におけるEBVとピロリ菌の検討を行った．筆者らは，リアルタイム定量PCR法を用い，感染細胞種の同定はできない方法ながらも客観的評価が可能な特性に着目し，慢性胃炎胃粘膜でのEBV検出への応用を行った[54]．まず，EBV感染B細胞株とEBVaGC病変のDNAを用いて，胃粘膜生検切片由来のDNAにおけるEBV感染の判定基準を作成した．そして，さらに，この基準を用い

て，シドニー・システムによる慢性胃炎の評価を行った 35 症例の各 5 か所の生検の切片において EBV DNA の有無を検討した．その結果，全体の 65.7%（23 症例）において，5 か所の生検のうち少なくとも 1 か所が EBV DNA 陽性であった．ピロリ菌検出率が高く以前の検討で EBVaGC の背景にも多くみられた中等度に萎縮性胃炎の進展した例（木村–竹本分類で C3-O1）に限ってみると 92.3%（13 例中 12 例）が生検 1 か所以上で EBV DNA 陽性であった．さらに，そのような中等度萎縮症例のすべての生検切片での検討では，EBV DNA 陽性切片では EBV DNA 陰性の切片に比較して，好中球浸潤・単核球浸潤・萎縮が，有意に多くみられた．この結果は，ピロリ菌による慢性活動性胃炎の経過の中で，中等度の萎縮進展の時期に，炎症に乗じて EBV 陽性 B リンパ球が胃粘膜に出現していることを示唆している．

　筆者らは，その後，多数例の非癌胃粘膜での EBV 感染とピロリ菌感染の検討を無理なく行う方法として，日常の実臨床でピロリ菌検索に用いる迅速ウレアーゼ検査（rapid urease test：RUT）に着目し RUT 後の廃棄予定胃生検切片を再利用し，PCR で EBV を検出した[55]．RUT でのピロリ菌感染診断終了後の胃生検切片は胃の 2 点（前庭部・体部）を代表しており，ピロリ菌感染状態は RUT により判定済で，内視鏡所見による慢性萎縮性胃炎の状況も判明しており，これらを EBV PCR の結果と総合判断することができる．さらに重要なことに，RUT 後の胃生検切片の再利用は，被験者に新たな肉体的負担を生じず，本人の同意と倫理委員会での承認のもとで市中病院での実臨床で容易に施行可能である．この RUT 後の廃棄予定胃生検切片の DNA を用いた PCR 法による EBV 検出は，ピロリ菌胃炎を背景とした胃粘膜の EBV 感染の状態を明らかとし EBVaGC の発生母地を多数例で解明する有用な方法となるものと考えている[56]．

▌おわりに

　近年，EBVaGC は，腫瘍細胞 DNA のメチル化に富む胃癌の特徴的なグループであることが明らかとなっている．このような遺伝子レベルでの変化や EBV の存在に対する宿主の免疫反応は，EBVaGC 病変の特徴的なリンパ球浸潤や CLS の組織型を導き，CLS による腫瘍形成や炎症類似の粘膜を反映した肉眼型として肉眼像に反映され，やや良好な予後として臨床像に表現される．現時点では，EBV の胃上皮細胞への感染は，主としてピロリ菌による慢性胃炎の過程で生じると考えられ，EBVaGC の多くは周囲に萎縮性変化を伴い胃の上部に存在している（表 2）．

　EBVaGC を臨床的に診断することは，その比較的良好とされる予後の予測に有用と思われる．近未来に，EBVaGC の臨床像の理解が光免疫療法を含む内視鏡的治療や通常の化学療法や新たな免疫療法などの適応決定に役立つことを期待している．

文　献

1) Burke AP, et al.：Lymphoepithelial carcinoma of the stomach with Epstein-Barr virus demonstrated by polymerase chain reaction. Mod Pathol 1990；3：377-380.

2) Shibata D, et al.：Epstein-Barr virus-associated gastric adenocarcinoma. Am J Pathol 1992；140：769-774.

3) Imai S, et al.：Gastric carcinoma：monoclonal epithelial malignant cells expressing Epstein-Barr virus latent infection protein. Proc Natl Acad Sci USA 1994；91：9131-9135.

4) The Cancer Genome Atlas Research Network：Comprehensive molecular characterization of gastric adenocarcinoma. Nature 2014；513：202-209.

5) Yanai H, et al.：Endoscopic and pathologic features of Epstein-Barr virus-associated gastric carcinoma. Gastrointest Endosc 1997；45：236-242.

6) Watanabe H, et al.：Gastric carcinoma with lymphoid stroma：its morphologic characteristics and prognostic correlations. Cancer 1976；38：232-243.

7) Nishikawa J, et al.：Hypoechoic submucosal nodules：A sign of Epstein-Barr virus-associated early gastric cancer. J Gastroenterol Hepatol 1998；13：585-590.

8) Nishikawa J, et al.：High prevalence of Epstein-Barr virus in gastric carcinoma after Billroth-II

reconstruction. Scand J Gastroenterol 2002；37：825-829.

9) Yanagi A, et al.：Clinicopathologic Characteristics of Epstein-Barr Virus-associated gastric cancer over the past decade in Japan. Microorganisms 2019；7：305.

10) Tokunaga M, et al.：Epstein-Barr virus related gastric cancer in Japan：a molecular patho-epidemiological study. Acta Pathol Jpn 1993；43：574-581.

11) Murphy G, et al.：Meta-analysis shows that prevalence of Epstein-Barr virus-positive gastric cancer differs based on sex and anatomic location. Gastroenterology 2009；137：824-833.

12) Liu X, et al.：Prognostic significance of Epstein-Barr virus infection in gastric cancer：a meta-analysis. BMC Cancer 2015；15：782.

13) Yanai H, et al.：Long-term survival of patient with Epstein-Barr virus-positive gastric cancer treated with chemotherapy：case report. J Gastrointest Cancer 2016；47：107-110.

14) Yanai H, et al.：Epstein-Barr virus-associated early gastric cancer treated with endoscopic submucosal dissection：a possible candidate for extended criteria of endoscopic submucosal dissection. Intern Med 2019；58：3247-3250.

15) Yanai H, et al.：Endoscopic and pathologic motifs for the clinical diagnosis of Epstein-Barr virus-associated gastric cancer. DEN Open 2021；1：e7.

16) Shibata D, et al.：Association of Epstein-Barr virus with undifferentiated gastric carcinomas with intense lymphoid infiltration Lymphoepithelioma-like carcinoma. Am J Pathol 1991；139：469-474.

17) Koriyama C, et al.：Histology-specific gender, age, and tumor-location distributions of Epstein-Barr virus-associated gastric carcinoma in Japan. Oncol Rep 2004；12：543-547.

18) Uemura Y, et al.：A unique morphology of Epstein-Barr virus-related early gastric carcinoma. Cancer Epidemiol Biomarkers Prev 1994；3：607-611.

19) Barua RR, et al.：Phenotype analysis by MUC2, MUC5AC, MUC6, and CD10 expression in Epstein-Barr virus-associated gastric carcinoma. J Gastroenterol 2006；41：733-739.

20) Arikawa J, et al.：Morphological characteristics of Epstein-Barr virus-related early gastric carcinoma：a case-control study. Pathol International 1997；47：360-367.

21) Zhang N, et al.：Accumulation mechanisms of CD4 + CD25 + FOXP3 + regulatory T cells in EBV-associated gastric carcinoma. Sci Rep 2015；5：18057.

22) Song HJ, et al.：Host inflammatory response predicts survival of patients with Epstein-Barr virus-associated gastric carcinoma. Gastroenterology 2010；139：84-92.

23) 赤木盛久, 他：リンパ節転移を呈した Epstein-Barr virus（EBV）関連胃 SM 癌の 2 例. 広島医 2016；69：208-214.

24) Levine PH, et al.：Elevated antibody titers to Epstein-Barr virus prior to the diagnosis of Epstein-Barr virus-associated gastric adenocarcinoma. Int J Cancer 1995；60：642-644.

25) Camargo MC, et al.：Circulating antibodies against Epstein-Barr virus（EBV）and p53 in EBV-positive and -negative gastric cancer. Cancer Epidemiol Biomarkers Prev 2020；29：414-419.

26) Song L, et al.：Identification of anti-Epstein-Barr virus（EBV）antibody signature in EBV-associated gastric carcinoma. Gastric Cancer 2021；24：858-867.

27) Varga MG, et al.：Epstein-Barr virus antibody titers are not associated with gastric cancer risk in East Asia. Dig Dis Sci 2018；63：2765-2772.

28) Shoda K, et al.：Clinical utility of circulating cell-free Epstein-Barr virus DNA in patients with gastric cancer. Oncotarget 2017；8：28796-28804.

29) Qiu MZ, et al.：Prospective observation：Clinical utility of plasma Epstein-Barr virus DNA load in EBV-associated gastric carcinoma patients. Int J cancer 2020；146：272-280.

30) Lim H, et al.：Features of gastric carcinoma with lymphoid stroma associated with Epstein-Barr virus. Clin Gastroenterol Hepatol 2015；13：1738-1744.

31) Yanai H, et al.：Epstein-Barr virus-associated gastric carcinoma and atrophic gastritis. J Clin Gastroenterol 1999；29：39-43.

32) Kaizaki Y, et al.：Atrophic gastritis, Epstein-Barr virus infection, and Epstein-Barr virus-associated gastric carcinoma. Gastric Cancer 1999；2：101-108.

33) Camargo MC, et al.：Anti-Helicobacter pylori antibody profiles in Epstein-Barr virus-positive and -negative gastric cancer. Helicobacter 2016；21：153-157.

34) Nishikawa J, et al.：Epstein-Barr virus-associated gastric carcinomas developed after successful eradication of Helicobacter pylori. Clin J Gastroenterol 2020；13：506-511.

35）Kato M, et al. : Early gastric cancer with lymphoid stroma presenting as a submucosal lesion diagnosed by endoscopic submucosal dissection. Clin J Gastroenteol 2018；11：382-385.

36）浦牛原幸修，他：EB ウイルス関連胃癌．臨消内科 2020；35：1487-1495.

37）Kimura K, et al. : An endoscopic recognition of the atrophic border and its significance in chronic gastritis. Endoscopy 1969；3：87-97.

38）Imai S, et al. : Cell-to-cell contact as an efficient mode of Epstein-Barr virus infection of diverse human epithelial cells. J Virol 1998；72：4371-4378.

39）Fukayama M, et al. : Gastritis-Infection-Cancer sequence of Epstein-Barr virus-Associated Gastric Cancer. Adv Exp Med Biol 2018；1045：437-457.

40）Yamamoto N, et al. : Epstein-Barr virus and gastric remnant cancer. Cancer 1994；74：805-809.

41）Kaizaki Y, et al. : Epstein-Barr virus-associated gastric carcinoma in the remnant stomach：de novo and metachronous gastric remnant carcinoma. J Gastroenterol 2005；40：570-577.

42）Lu C, et al. : Epstein-Barr virus infection and genome polymorphisms on gastric remnant carcinoma：a meta-analysis. Cancer Cell Int 2020；20：401.

43）Iwaya Y, et al. : Narrow-band imaging of a gastric carcinoma with lymphoid stroma associated with Epstein-Barr virus. Gastrointest Endosc 2018；88：400-401.

44）Kobayashi Y, et al. : Endoscopic finding of a lace pattern in a case of Epstein-Barr virus-associated early gastric carcinoma. Gastrointest Endosc 2021；93：768-769.

45）三宅宗彰，他：Epstein-Barr ウイルス関連胃癌の新展開　Epstein-Barr ウイルス関連リンパ球浸潤胃癌の内視鏡診断．胃と腸 2021；56：1347-1355.

46）Suzuki Y, et al. : Clinicopathological features of Epstein-Barr virus-associated superficial early stage gastric cancer treated with endoscopic submucosal dissection. Dig Liver Dis 2022；54：946-953.

47）Nishikawa J, et al. : Epstein-Barr virus-associated gastric carcinoma diagnosed by EUS-FNB. Endosc Ultrasound 2021 doi：10.4103/EUS-D-21-00026.

48）Maeda E, et al. : CT appearance of Epstein-Barr virus-associated gastric carcinoma. Abdom Imaging 2009；34：618-625.

49）Muti HS, et al. : Development and validation of deep learning classifiers to detect Epstein-Barr virus and microsatellite instability status in gastric cancer：a retrospective multicenter cohort study. Lancet Digit Health 2021；3：e654-e664.

50）Camargo MC, et al. : Improved survival of gastric cancer with tumour Epstein-Barr virus positivity：an international pooled analysis. Gut 2014；63：236-243.

51）Cho CJ, et al. : Poor prognosis in Epstein-Barr virus-negative gastric cancer with lymphoid stroma is associated with immune phenotype. Gastric Cancer 2018；21：925-935.

52）Kitayama Y, et al. : Epstein-Barr virus-related gastric pseudolymphoma in infectious mononucleosis. Gastrointest Endosc 2000；52：290-291.

53）Chen ZE, e al. : Epstein-Barr virus gastritis An underrecognized form of severe gastritis simulating gastric lymphoma. Am J Surg Pathol 2007；31：1446-1451.

54）Hirano A, et al. : Evaluation of Epstein-Barr virus DNA load in gastric mucosa with chronic atrophic gastritis using a real-time quantitative PCR assay. Int J Gastrointest Cancer 2003；34：87-94.

55）Yanai H, et al. : Epstein-Barr virus detection using gastric biopsy specimens after rapid urease test for *Helicobacter pylori*. Endosc Int Open 2019；7：E431-E432.

56）Kartica AV, et al. : Application of biopsy samples used for Helicobacter pylori urease test to predict Epstein-Barr virus-associated cancer. Microorganisms 2020；8：923.

5 EB ウイルス関連胃癌に対する内視鏡的粘膜下層剝離術の可能性

東京大学大学院医学系研究科消化器内科学
大塩香織, 辻　陽介, 藤城光弘

はじめに

　Epstein-Barr ウイルス（Epstein-Barr virus：EBV）はヒトヘルペスウイルスのなかでも最も一般的なウイルスの一つであり，成人までに世界人口の 90% 以上に感染して生涯にわたり潜伏感染することが知られている．上咽頭癌，悪性リンパ腫，胃癌といった悪性疾患との関連性が指摘されており，EBV 関連胃癌（EBV-associated gastric cancer：EBVaGC）は胃癌の約 10% を占めるといわれている．60 歳代と比較的若年に多く，男性優位で胃近位部に発生しやすい．同時性・異時性に多発する症例のみならず，残胃発生症例も多く報告されており，特に Billroth II 法再建胃の吻合部に発生する頻度が高い．通常型胃癌と比較してリンパ節転移（lymph node metastasis：LNM）のリスクが低く予後良好な疾患とされており，内視鏡治療の適応基準を拡大できる可能性がある．

内視鏡的特徴

　早期癌の肉眼所見としては 0-IIc 型を主体とした陥凹型が多く（図 1a），潰瘍を伴う 0-IIc + III 型もみられる．進行癌では 2 型や 3 型の形態をとる（図 1b）．粘膜下層への浸潤を伴うと，粘膜下腫瘍様の形態を有する（図 1c）．粘膜下浸潤をきたした病巣では，超音波内視鏡で腫瘍細胞と浸潤リンパ球で構成された低エコー腫瘤が観察される．また病理像の詳細については他項に譲るが，lace pattern や間質のリンパ球浸潤が特徴的である．

内視鏡治療適応[1]

　近年の消化器内視鏡の進歩により，多くの早期胃癌（early gastric cancer：EGC）の発見とその内視鏡治療が可能となった．内視鏡的粘膜下層剝離術（endoscopic submucosal dissection：ESD）の普及により，大きな腫瘍や潰瘍瘢痕を伴う病変の切除が可能になり，EGC に対する ESD の適応は広がった．現在，リンパ節転移のリスク

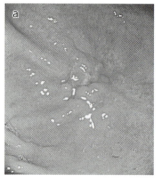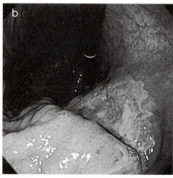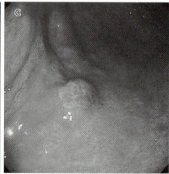

図 1　EBVaGC の内視鏡像
a）早期胃癌 0-IIc 型，b）進行胃癌 3 型，c）粘膜下腫瘍様形態

が1%未満と推定される病変が絶対適応であり，①大きさに関係なく潰瘍（intramucosal ulcerative findings：UL）を有さない分化型粘膜内癌，②ULを有する3 cm以下の分化型粘膜内癌，③ULを有さない2 cm以下の未分化型粘膜内癌の3項目がこれに該当する．また，根治性の評価としては内視鏡的根治度（eCura）A/B/C-1/C-2が用いられており，経過観察が可能とされるeCura A/Bは以下のように定義されている．一括切除，水平・垂直断端陰性，脈管侵襲（lymphovascular invasion：LVI）がないことに加え，（A）上記の絶対適応基準を満たすか，あるいは，（B）500 µm未満の粘膜下浸潤を有する3 cm以下の分化型粘膜内癌である．

粘膜下層への浸潤を伴うEBV関連胃癌（pT1b-EBVaGC）のLNMリスク[2-4]

上記の基準によれば，粘膜下層に浸潤しているEGCの多くは外科的胃切除の対象となるが，pT1b-EBVaGCではLNMのリスクが比較的低いとするいくつかの報告がある．

まずTokunagaらは，胃切除を受けた170例のEBVaGCと1,590例のEBV陰性胃癌（EBV-negative gastric cancer：EBVNGC）においてLNMの症例数を比較した．LNMはEBVaGCで31.2％（53/170），EBVNGCで48.1％（764/1,590）と有意にEBVNGCで多く（$p = 0.0018$），その傾向はどのレベルの浸潤度においてもみられた．また粘膜内癌（T1a）とT1bに限定すると，EBVaGCにおけるLNMは0％〔0/75，95％ CI（confidence interval）：0〜0.2〕であった．このことから特にEGCにおいて，EBVaGCは通常型胃癌と異なり，LNMリスクの低い疾患であることが示唆された．

またParkらは，胃切除を受けた756例のpT1b-EGCを用いてLNMのリスク因子について分析している．756例のうち，64例（8.5％）がEBV-encoded small RNA *in situ* hybridization（EBER-ISH）によりpT1b-EBVaGCと診断された．pT1b-EBVaGCにおけるLNMは4.7％（3/64）であり，これはT1a-EGCでいわれているLNMの割合の2.2〜4.6％と同程度で，pT1b-EGC全体での19.3％（146/756）やEBV陰性のpT1b-EGCでみられた20.1％（143/692）に比べて低値であった．また多くの研究でLNMの重要なリスク因子としてLVIが知られているが，T1b-EBVaGCでLVIを認めた5例のうち2例ではLNMを有したことから，pT1b-EBVaGCにおいてもLVIはLNMのリスク因子として重要であり，外科的胃切除によるリンパ節郭清が必要であると示唆された．一方pT1b-EBVaGC 72％（46/64）が未分化型であり，現在のガイドラインによると外科的胃切除の対象となり得た症例が多かった．さらにEBVaGCは胃の近位に位置する傾向があるため，LVIのないEGCや近位のEGCについてはEBVを同定することで，QOL（quality of life）に重大な影響を及ぼす胃全摘術を含めた不要な治療を避けることができると述べられている．

その後，Osumiらによる多施設共同研究によってもLVIのないpT1b-EBVaGCがLNMの低リスク因子であることが報告された．これによると，胃切除を受けたLVIのない847例のpT1b-EGCのうち，96例（11.3％）がEBER-ISHによりpT1b-EBVaGCと診断され，そのなかでLNMを認めたものはわずか1例であった．また，LVIのないpT1b-EGCでは，EBVaGCであることのほかに，年齢65歳未満および30 mmを超える腫瘍径が多変量解析におけるLNMの独立したリスク因子であるとされた．OsumiらはEBV感染・年齢・腫瘍径といったこれら3つの因子に基づいてLNMのリスクを層別化しており，EBV感染のみを有する患者は低リスク群（1.0％，1/96；95％ CI：0〜5.7），3つすべてのリスク因子を有する患者を高リスク群（21.4％，36/168；95％ CI：15.5〜28.4），残りの患者を中リスク群（6.0％，35/583；95％ CI：4.2〜8.3）とした．この新たなLNMリスクの層別化により，内視鏡切除後の追加切除基準として組織型（未分化型）・浸潤度（500 µm未満）・ULの有無といった項目を省略できる可能性について触れるとともに，併存疾患を有する高齢の患者に対して治療の選択肢を広げることも含めた最適な治療選択の一助となる可能性について述べられている．

内視鏡治療の適応拡大[5)]

上記のようにpT1b-EBVaGCのLNMリスクは低く，内視鏡治療適応が拡大できる可能性があるが，これまでは粘膜下浸潤の深さに言及した報告はなかった．そこでTsujiらは，EBVaGCの診断に精通した消化器系病理医が所属する国内5施設の多施設共同後ろ向き研究からpT1b-EBVaGCのLNMリスクについて粘膜下浸潤度を含めた調査を行い，どのようなpT1b-EBVaGCが内視鏡的切除に適しているかについて以下のように報告している．2000年1月から2016年12月の間に外科的または内視鏡的に切除され，EBER-ISHにより診断されたpT1b-EBVaGCの194例が抽出され，最終的に外科的切除160例と追加手術のあった内視鏡的切除25例の計185例が解析対象となった．このうち9例（4.9%）でLNMを認め，単変量解析では粘膜下浸潤度（$p < 0.001$）とリンパ管侵襲（$p < 0.001$）がLNMと有意に関連した．一方ULとLNMとの間に有意な関連は認められなかった（$p = 0.725$）．また2,000 μmから4,000 μm以深の粘膜下浸潤度や腫瘍径50 mm以上でLNMリスクが増加する傾向がみられた．多変量解析では，リンパ管侵襲（OR 9.1；95% CI：2.1～46.1）および4,000 μm以上の粘膜下浸潤（OR 9.2；95% CI：1.3～110.3）がLNMの有意なリスク因子であることが示された．なお，リンパ管侵襲のない粘膜下浸潤が2,000 μm未満のpT1b-EBVaGCではLNMを認めた症例がなく，さらに95% CIの上限は3.8%であり，これまでの研究でpT1b-EGCに対する胃切除術後の5年生存率は96.7%と報告されていることから，2,000 μm未満の粘膜下浸潤がpT1b-EBVaGCに対する治癒的ESDの基準となる可能性が示唆された．

おわりに

pT1bであってもLNMリスクが低いとされるEBVaGCに対してはESDが治療の選択肢となりうる（図2）．現在のガイドラインでは，粘膜下浸潤500 μm未満がeCura Bとなっているが，EBVaGCにおける粘膜下浸潤度に関しては，治療適応を拡大できる可能性がある．

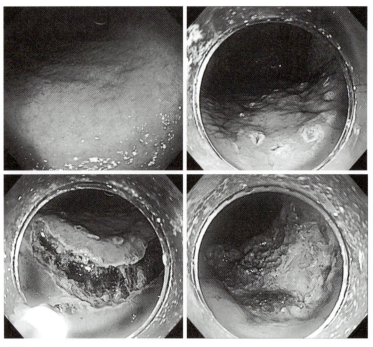

図2 EBVaGCに対するESD治療

文 献

1) 日本胃癌学会（編）：胃癌治療ガイドライン. 医師用 2021 年 7 月改訂，第 6 版，金原出版，2021：25-29
2) Park JH, et al.：Epstein-Barr virus positivity, not mismatch repair-deficiency, is a favorable risk factor for lymph node metastasis in submucosa-invasive early gastric cancer. Gastric Cancer 2016；19：1041-1051.
3) Osumi H, et al.：Risk stratification for lymph node metastasis using Epstein-Barr virus status in submucosal invasive（pT1）gastric cancer without lymphovascular invasion：A multicenter observational study. Gastric Cancer 2019；22：1176-1182.
4) Tokunaga M, et al.：Epstein-Barr virus involvement in gastric cancer：biomarker for lymph node metastasis. Cancer Epidemiol Biomarkers Prev 1998；7：449-450.
5) Tsuji Y, et al.：Risk for lymph node metastasis in Epstein-Barr virus-associated gastric carcinoma with submucosal invasion. Dig Endosc 2021；33：592-597.

6 癌化学療法と EB ウイルス関連胃癌

聖マリアンナ医科大学病院臨床腫瘍学[*1]，国立がん研究センター東病院消化管内科[*2]
久保田洋平[*1]，設樂紘平[*2]

はじめに

この数年で切除不能・再発胃癌の化学療法は著しい進歩を遂げている．わが国においては，2015 年に抗 VEGFR2（vascular endothelial growth factor receptor 2）抗体であるラムシルマブが承認され，2017 年に抗 PD-1（programmed cell death 1）抗体であるニボルマブ，2019 年に新規のヌクレオシド系抗悪性腫瘍薬である TAS102 が承認された．さらに，2020 年に抗 HER2（human epidermal growth factor receptor 2）抗体薬物複合体であるトラスツズマブデルクステカン（T-DXd）が承認され，2021 年には HER2 陰性胃癌の一次治療としてフッ化ピリミジン＋オキサリプラチン＋ニボルマブの 3 剤併用療法が承認されている．

図 1[1, 2] に，強力な治療が可能な場合における 2022 年現在の標準治療を示す[1-3]．一次治療では，HER2 陽性の場合，フッ化ピリミジン＋プラチナ製剤＋トラスツズマブ（Tmab）が標準治療

であり，HER2 陰性の場合，フッ化ピリミジン＋プラチナ製剤±ニボルマブが標準治療となっている．HER2 陰性胃癌に対する標準一次化学療法であったフッ化ピリミジン＋オキサリプラチンに対するニボルマブの上乗せ効果を検証した第 III 相試（CheckMate649 試験）において，主要評価項目である PD-L1 CPS（PD-1 ligand 1 combined positive score：腫瘍組織における PD-L1 陽性の腫瘍細胞，マクロファージ，リンパ球のパーセンテージ）5 以上のサブセットにおける無増悪生存期間（progression-free survival：PFS）および生存期間（overall survival：OS）はいずれもニボルマブ併用群で有意に延長した〔PFS 中央値 7.7 か月 vs. 6.1 か月，HR（hazard ratio）0.68，98% CI（confidence interval）0.56〜0.81，P < 0.0001，OS 中央値 14.4 か月 vs. 11.1 か月，HR 0.71，98.4% CI 0.59〜0.86，P < 0.0001）．副次評価項目である CPS1 以上のサブセット，もしくは全登録例における OS に関してもニボルマブ併用群で有意な延長が示されている

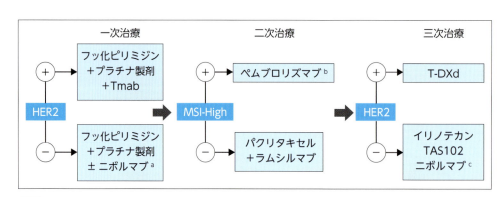

図 1 切除不能進行・再発胃癌に対する標準化学療法の概要

a CPS ≧ 5 の場合，ニボルマブ併用が推奨．CPS < 5 の場合，ニボルマブ併用による有効性と副作用増加について十分説明を行ったうえで，化学療法単独の選択肢も含めて併用を行うか検討する
b, c 前治療において抗 PD-1 抗体を使用していない場合に使用
〔文献 1, 2 をもとに作成〕

（全登録例における OS 中央値 13.8 か月 vs. 11.6 か月, HR 0.80, 99.3% CI 0.68〜0.94, $P < 0.0001$)[3]. 一方, Grade3 以上の有害事象の頻度は, 59% vs. 44% とニボルマブ併用群で高かった. これらの結果から, CPS 5 以上の場合はニボルマブ併用が推奨され, CPS 5 未満の場合は全身状態やニボルマブ併用による副作用増加のリスク, 期待できる効果などを十分に考慮したうえで併用を行うべきか検討が必要であることがわが国のガイドラインに記載されている[1]. 二次治療は, 高頻度マイクロサテライト不安定性 (microsatellite instability-high: MSI-High) の場合は（前治療でニボルマブを使用していない際は）ペムブロリズマブが使用可能であるが, それ以外の場合はパクリタキセル（もしくはナブパクリタキセル）＋ラムシルマブが標準治療である. 三次治療では, HER2 陽性の場合は T-DXd が標準治療であり, HER2 陰性の場合はイリノテカン, TAS102,（前治療で使用していない場合は）ニボルマブが治療選択肢となる.

上記のとおり, 切除不能・再発胃癌の化学療法に際しては, HER2, MSI-High, CPS といった既知のバイオマーカーを参考に, PS (performance status), 臓器機能, 基礎疾患などを含めた全身状態を考慮して患者ごとに適切な治療を選択する必要がある. バイオマーカーとしての Epstein-Barr ウイルス (Epstein-Barr virus: EBV) は, 胃癌においては腫瘍組織における *in situ* hybridization 法で通常検出されるが, その検査は現時点で保険承認されておらず, 研究的検査としてしか施行できない状況である. しかしながら, EBV は後述する胃癌の分子学的サブタイプの 1 つであり, 他のサブタイプと異なる分子学的・病理学的特徴を有しており, 特に免疫チェックポイント阻害剤の良好な予測因子である可能性が示唆されている. 次項より EBV 関連胃癌 (EVB-associated gastric cancer: EBVaGC) と免疫チェックポイント阻害剤を含めた化学療法について関連データも含めて解説する.

EBV 関連胃癌の臨床病理学的・分子学的特徴および免疫チェックポイント阻害剤の効果との関連

2014 年, アメリカの The Cancer Genome Atlas (TCGA) によって, 胃癌の 4 つの分子学的分類が提唱された. すなわち, EBV, MSI-High, GS (genomically stable), CIN (chromosomal instability) の 4 つの分子学的サブタイプである[4]. EBV のサブタイプは, 後述するような分子学的特徴を有しており, 分子学的に異なるサブタイプとして認識されるようになった.

表 1 に EBVaGC の特徴をまとめた. EBVaGC の頻度は, 胃癌全体の 4.1〜8.8% である[5-8]. 男性および比較的若年に多く, 原発の部位は前庭部より噴門部・胃体部に多い[5,6,9]. そのほか, EBVaGC では, EBV 非関連胃癌と比較してリンパ節転移が少ないことや, 予後が良好であることが報告されている[9,10]. 病理学的には, 腫瘍組織における

表 1 EBVaGC の特徴

	EBVaGC	エビデンスレベル (参考文献)
頻度	4.1〜8.8%	メタアナリシス[5,6], コホート研究[9,10]
性差	男性 (10〜11%) ＞女性 (5〜6%)	メタアナリシス[5,6]
年齢	比較的若年	コホート研究[7]
原発部位	噴門部・胃体部 (11〜13%) ＞前庭部 (5〜6%)	メタアナリシス[5,6]
転移	リンパ節転移が少ない	コホート研究[7]
予後	比較的良好	メタアナリシス[8]
病理学的特徴	高頻度の PD-L1 発現 リンパ球浸潤 (CD8 陽性 T 細胞の浸潤)	コホート研究[9-13]
遺伝子異常	*PIK3CA* 遺伝子変異, DNA 過剰メチル化, *JAK2* 遺伝子・*CD274* 遺伝子 (PD-L1)・*PDCD1LG2* 遺伝子 (PD-L2) を含む 9p24.1 領域の増幅	コホート研究[4]

PD-L1 高発現の頻度が高く，リンパ球（特に CD8陽性 T リンパ球）の浸潤が多いとされる[7, 8, 11-13]．分子学的な特徴としては，*PIK3CA* 遺伝子変異やDNA の過剰メチル化の頻度が多いこと，さらに*CD274* 遺伝子，*PDCD1LG2* 遺伝子（それぞれ PD-L1，PD-L2 をコードする遺伝子）および *JAK2* 遺伝子を含む 9p24.1 領域の増幅頻度が高いことが示されている[4]．9p24.1 領域の増幅症例において，JAK2，PD-L1，PD-L2 の発現が上昇していることが mRNA を用いた解析で示されており，病理学的に PD-L1 の高発現の頻度が高いという特徴は *CD274* 遺伝子の増幅によるものと関連づけられる．また，EBVaGC において，*RCOR2* 遺伝子や *CDKN2A* 遺伝子を含むいくつかの遺伝子における過剰メチル化は，腫瘍組織における炎症を誘起する[14]と考えられており，病理学的なリンパ球浸潤に関与している可能性が示唆される．以上のように EBVaGC では，分子学的特徴に由来すると考えられる PD-L1 の高発現やリンパ球浸潤を呈しており，免疫チェックポイント阻害剤の効果が期待できる対象と考えられている．このほかEBVaGC において *PIK3CA* 遺伝子変異や *JAK2* 遺伝子増幅の頻度が高いことからは，開発中の薬剤である PI3 キナーゼ阻害剤や JAK2 阻害剤などの検討の余地がある対象とも考えられた[4]．

ちなみに，MSI-High のサブタイプにおいては，ミスマッチ修復機能の欠損に伴い腫瘍特異的な遺伝子変異が多く，腫瘍特異抗原が多く発現し，その免疫応答として豊富なリンパ球の浸潤を呈することで免疫チェックポイント阻害剤の効果が得られやすいと考えられている．実際に，腫瘍特異抗原の数と免疫チェックポイント阻害剤の治療効果が相関することが報告されており，臨床試験（KEYNOTE158試験）において腫瘍遺伝子変異量高スコア（tumor mutational burden-high：TMB-High）の固形癌に対する免疫チェックポイント阻害剤の有効性が示されている[15, 16]．対照的に，EBVaGC では，腫瘍特異的な遺伝子発現が有意に少なく，遺伝子異常が少ないことが示唆されている[17]．しかしながら，EBVaGC では，腫瘍特異抗原が少なくても，前述のとおり PD-L1 を含む免疫チェックポイント分子

の高発現や CD8 陽性 T リンパ球の浸潤などに伴い，免疫チェックポイント阻害剤の効果が高い可能性が示唆され，MSI-High と EBV では異なる分子学的背景によって免疫チェックポイント阻害剤の効果が得られやすいものと考えられる．

EBV 関連胃癌と化学療法および免疫チェックポイント阻害剤の効果

国立がん研究センター東病院において，2015年 10 月から 2018 年 7 月に緩和的化学療法を受けた切除不能・再発進行胃癌を対象として，分子学的サブタイプ〔① MMR-D（mismatch repair deficient），② EBV 陽性，③ HER2 陽性，④すべて陰性〕による標準一次化学療法（フッ化ピリミジン＋プラチナ製剤±Tmab），標準二次化学療法（タキサン±ラムシルマブ）および逐次的な抗PD-1 抗体の効果を検証した[8]．全 410 例のうち，EBVaGC は全体の 4.1%（17 例）に認められた．年齢の中央値は 62 歳であり，他のサブタイプと比較して有意に若年に多く，PD-L1 発現の頻度も高い傾向がみられた．EBVaGC において，標準一次化学療法（フッ化ピリミジン＋オキサリプラチン）を受けた 9 例において，客観的奏効率は 62%，病勢制御率は 75% であり PFS の中央値は 6.0 か月であった（表 2a，図 2a）．標準二次化学療法（タキサン±ラムシルマブ）を受けた 11 例では，客観的奏効率 40%，病勢制御率 70% であり，PFS の中央値は 6.6 か月であった（表 2b，図 2b）．いずれも EBV のサブタイプは少数例であるものの，標準一次化学療法および二次化学療法の効果に関して EBVaGC とその他のサブタイプ（MMR-D，HER2 陽性，すべて陰性）で有意な差は認められなかった．その後抗 PD-1 抗体を受けた EBVaGC6 例においては，客観的奏効率は 33%，病勢制御率は 83%，PFS の中央値は 3.7 か月であり，すべて陰性のグループと比較してやや良好な傾向がみられた（HR for PFS，0.48；95% CI，0.22-1.05；$P = 0.064$）（表 2c，図 2c）．

表 3 に EBVaGC と免疫チェックポイント阻害剤の効果について，上記報告も含めてまとめた．二次治療におけるペムブロリズマブとパクリタキセルを

比較検証した KEYNOTE-061 試験においては，ペムブロリズマブ群に 15 例の EBVaGC が含まれていたが，奏効したのは 2 例のみであった（客観的奏効率 13.3%）．一方で，Kim らの報告ではペムブロリズマブの治療を受けた EBVaGC 6 例中，6 例が奏功しており（奏効率 100%），EBVaGC における免疫チェックポイント阻害剤単剤の奏効率は 13.3～100% であった．いずれも少数例の報告のため奏効率に幅

があるものの，通常の胃癌における免疫チェックポイント阻害剤単剤の奏効率（11～16%）[18, 19] と比較すると総じてやや良好な結果と考えられる．

　以上のように，EBVaGC は他のサブタイプと異なる分子学的特徴から，免疫チェックポイント阻害剤の効果が得られやすい背景を有しており，免疫チェックポイント阻害剤による比較的良好な臨床的効果が得られている．しかしながら，少数例

表 2　分子学的サブタイプによる化学療法の奏効率

a）標準一次治療（フッ化ピリミジン＋プラチナ製剤± Tmab）の奏効率

	MMR-D N = 16	EBV+ N = 9	HER2+ N = 52	All-negative N = 208	P-value (MMR-D vs. All-negative)
Measurable lesion +	13	8	50	171	
CR	0	0	0	2	
PR	4	5	30	82	
SD	4	1	16	60	
PD	4	2	2	20	
NE	1	0	2	7	
ORR (%)	31	62	60	49	0.256
DCR (%)	62	75	92	84	0.053

b）標準二次治療（タキサン＋ラムシルマブ）の奏効率

	MMR-D N = 11	EBV+ N = 11	HER2+ N = 42	All-negative N = 188	P-value (MMR-D vs. All-negative)
Measurable lesion +	10	10	41	174	
CR	0	0	0	0	
PR	3	4	9	47	
SD	4	3	20	78	
PD	2	2	10	33	
NE	1	1	2	10	
ORR (%)	30	40	22	27	0.715
DCR (%)	70	70	71	72	1.000

c）三次治療以降の抗 PD-1 抗体の奏効率

	MMR-D N = 12	EBV+ N = 6	HER2+ N = 14	All-negative N = 78	P-value (MMR-D vs. All-negative)
Measurable lesion +	12	6	14	78	
CR	1	0	0	0	
PR	6	2	1	10	
SD	4	3	3	20	
PD	0	1	9	44	
NE	1	0	1	4	
ORR (%)	58	33	7	13	0.001
DCR (%)	92	83	29	38	0.0009

CR：complete response，PR：partial response，SD：stable disease，PD：progression disease，
NE：not evaluated，ORR：objective response rate（CR or PR），DCR：disease control rate（CR, PR, or SD）

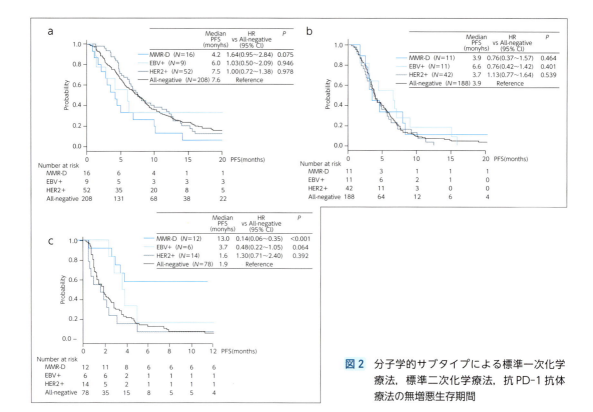

図2　分子学的サブタイプによる標準一次化学療法，標準二次化学療法，抗PD-1抗体療法の無増悪生存期間

表3　切除不能進行・再発EBVaGCと免疫チェックポイント阻害剤の効果

	Study	EBV (%)	ICI	ORR	DCR
ATTRACTION-2[20]	Phase Ⅲ (≧ 3rd line) Nivolumab vs. Placebo	13.3% (6/45)	Nivolumab (≧ 3rd line)	20% (1/5)	60% (3/5)
KEYNOTE-061[21]	Phase Ⅲ (2nd line) Pembrolizumab vs. PTX	4.7% (28/592)	Pembrolizumab (2nd line)	13.3% (2/15)	Not shown
Kim, et al.[22]	Prospective Phase Ⅱ	9.8% (6/61)	Pembrolizumab (≧ 2nd line)	100% (6/6)	100% (6/6)
Wang, et al.[23]	Phase Ib/Ⅱ	7.3% (4/55)	Toripalimab (≧ 2nd line)	25% (1/4)	75% (3/4)
Xie, et al.[24]	Prospective study	Not shown	PD-L1 antibody or PD-1 antibody (≧ 1st line)	37.5% (3/8)	100% (8/8)
Kubota, et al.[10]	Retrospective study	4.1% (17/410)	Nivolumab (≧ 3rd line)	33% (2/6)	83% (5/6)

ICI：Immune checkpoint inhibitor，ORR：Objective response rate，DCR：Disease control rate

の報告のみであり，今後より大きいコホートでの検証が必要である．

文　献

1）日本胃癌学会（編）：胃癌治療ガイドライン．医師用2021年7月改訂，第6版，金原出版，2021

2）日本胃癌学会：CheckMate649試験，ATTRACTION-4試験の概要ならびにHER2陰性の治癒切除不能な進行・再発胃癌／胃食道接合部癌の一次治療における化学療法とニボルマブ併用に関する胃癌学会ガイドライン委員会のコメント．2021 http://www.jgca.jp/pdf/news202112_1.pdf（2022年8月5日アクセス）

3) Janjigian YY, et al.：First-line nivolumab plus chemotherapy versus chemotherapy alone for advanced gastric, gastro-oesophageal junction, and oesophageal adenocarcinoma（CheckMate 649）：a randomised, open-label, phase 3 trial. Lancet 2021；398：27-40.

4) Cancer Genome Atlas Research Network：Comprehensive molecular characterization of gastric adenocarcinoma. Nature 2014；513：202-209.

5) Tavakoli A, et al.：Association between Epstein-Barr virus infection and gastric cancer：a systematic review and meta-analysis. BMC Cancer 2020；20：493.

6) Murphy G, et al.：Meta-analysis shows that prevalence of Epstein-Barr virus-positive gastric cancer differs based on sex and anatomic location. Gastroenterology 2009；137：824-833.

7) Kawazoe A, et al.：Clinicopathological features of 22C3 PD-L1 expression with mismatch repair, Epstein-Barr virus status, and cancer genome alterations in metastatic gastric cancer. Gastric Cancer 2019；22：69-76.

8) Kubota Y, et al.：The Impact of Molecular Subtype on Efficacy of Chemotherapy and Checkpoint Inhibition in Advanced Gastric Cancer. Clin Cancer Res 2020；26：3784-3790.

9) van Beek J, et al.：EBV-positive gastric adenocarcinomas：a distinct clinicopathologic entity with a low frequency of lymph node involvement. J Clin Oncol 2004；22：664-670.

10) Camargo MC, et al.：Improved survival of gastric cancer with tumour Epstein-Barr virus positivity：an international pooled analysis. Gut 2014；63：236-243.

11) Liu X, et al.：High PD-L1 expression in gastric cancer（GC）patients and correlation with molecular features. Pathol Res Pract 2020；216：152881.

12) Derks S, et al.：Characterizing diversity in the tumor-immune microenvironment of distinct subclasses of gastroesophageal adenocarcinomas. Ann Oncol 2020；31：1011-1020.

13) Saiki Y, et al.：Immunophenotypic characterization of Epstein-Barr virus-associated gastric carcinoma：massive infiltration by proliferating CD8＋ T-lymphocytes. Lab Invest 1996；75：67-76.

14) Re V, et al.：Overview of Epstein-Barr-Virus-Associated Gastric Cancer Correlated with Prognostic Classification and Development of

15) Schumacher TN, et al.：Neoantigens in cancer immunotherapy. Science 2015；348：69-74.

16) Marabelle A, et al.：Efficacy of Pembrolizumab in Patients With Noncolorectal High Microsatellite Instability/Mismatch Repair-Deficient Cancer：Results From the Phase II KEYNOTE-158 Study. J Clin Oncol 2020；38：1-10.

17) Kim SY, et al.：Deregulation of immune response genes in patients with Epstein-Barr virus-associated gastric cancer and outcomes. Gastroenterology 2015；148：137-147.

18) Kang YK, et al.：Nivolumab in patients with advanced gastric or gastro-oesophageal junction cancer refractory to, or intolerant of, at least two previous chemotherapy regimens（ONO-4538-12, ATTRACTION-2）：a randomised, double-blind, placebo-controlled, phase 3 trial. Lancet 2017；390：2461-2471.

19) Shitara K, et al.：Pembrolizumab versus paclitaxel for previously treated, advanced gastric or gastro-oesophageal junction cancer（KEYNOTE-061）：a randomised, open-label, controlled, phase 3 trial. Lancet 2018；392：123-133.

20) Kim JH, et al.：Predictive biomarkers for the efficacy of nivolumab as ≥ 3rd-line therapy in patients with advanced gastric cancer：a subset analysis of ATTRACTION-2 phase III trial. BMC Cancer 2022；22：378.

21) Shitara K, et al.：Molecular determinants of clinical outcomes with pembrolizumab versus paclitaxel in a randomized, open-label, phase III trial in patients with gastroesophageal adenocarcinoma. Ann Oncol 2021；32：1127-1136.

22) Kim ST, et al.：Comprehensive molecular characterization of clinical responses to PD-1 inhibition in metastatic gastric cancer. Nat Med 2018；24：1449-1458.

23) Wang F, et al.：Safety, efficacy and tumor mutational burden as a biomarker of overall survival benefit in chemo-refractory gastric cancer treated with toripalimab, a PD-1 antibody in phase Ib/II clinical trial NCT02915432. Ann Oncol 2019；30：1479-1486.

24) Xie T, et al.：Positive Status of Epstein-Barr Virus as a Biomarker for Gastric Cancer Immunotherapy：A Prospective Observational Study. J Immunother 2020；43：139-144.

Therapeutic Options. Int J Mol Sci 2020；21：9400.

EBウイルス関連胃癌に対する様々な新たな治療法の試み

山口大学大学院医学系研究科基礎検査学
西川　潤

はじめに

現在まで Epstein-Barr ウイルス（Epstein-Barr virus：EBV）関連胃癌（EBV-associated gastric cancer：EBVaGC）に特異的な治療法は行われていない．本章では，これまでの EBVaGC の発生機序に関する研究成果に基づき，EBVaGC の特異的治療の可能性について解説する．

免疫チェックポイント阻害剤

2014 年，The Cancer Genome Atlas（TCGA）による網羅的な分子生物学的解析により，胃癌は4 つのサブタイプに分けられ，EBVaGC はその1つに分類された．また，EBVaGC は DNA メチル化や免疫チェックポイント分子 programmed cell death 1-ligand 1（PD-L1）や PD-L2 の過剰発現などの特徴をもつことが報告された（図 1）[1]．2017年，抗 PD-1 抗体のニボルマブが治癒切除不能な進行・再発胃癌の 3 次治療として承認され，2018年には programmed cell death 1（PD-1）を発見した本庶佑先生らがノーベル医学生理学賞を受賞し，EBVaGC に対する免疫チェックポイント分子阻害剤の効果が期待されるようになった．

EBVaGC はリンパ球浸潤癌（carcinoma with lymphoid stroma：CLS）の組織像を呈するものが多く，CLS の約 8～9 割が EBV 陽性であると報告されている[2-4]．CLS は Watanabe らによって，報告された著明なリンパ球浸潤を間質に伴う未分化型主体の癌である（図 2）[5]．EBV に関連する他臓器の腫瘍においても腫瘍の周囲には著明なリン

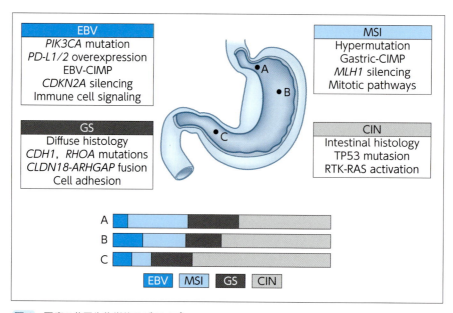

図 1　胃癌の分子生物学的サブタイプ
〔文献 1 より作成〕

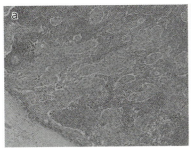
HE 染色像

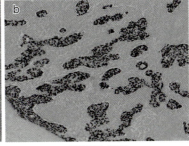
EBER1-ISH

図 2 EBV 関連胃癌の組織像

パ球浸潤が伴っており，EBV の遺伝子を標的にリンパ球が浸潤していると考えられている．EBV が宿主の細胞に抑制系免疫チェックポイント分子の PD-L1 を発現させ，リンパ球からの免疫を回避しているというストーリーは考えやすい．われわれはインターフェロン（interferon：IFN）-γ 処理を行って PD-L1 を強発現させた EBVaGC 細胞と T リンパ球を混合培養すると，T リンパ球の増殖が明らかに抑制されることを報告した．EBVaGC は PD-1 と PD-L1 の結合を介して，免疫から回避していると考えられる[6]．最近，EBV のコードする microRNA（miRNA）BART11 と BART17-3a が PD-L1 の発現を調節していると報告された[7]．

実際に抗 PD-1 抗体 Pembrolizumab の第 II 相試験において，奏効した症例の多くは，マイクロサテライト不安定性（microsatellite instability：MSI）の強い癌と EBVaGC だったと報告され，さらに注目を集めている[8]．今後，多数例の検討により，胃癌における EBV の有無が免疫チェックポイント阻害剤への反応性に影響を与える因子になりうるかは大変興味深い．2022 年には 1 次治療として HER2 陽性を除く治癒切除不能な進行・再発胃癌へのニボルマブの投与が認められた．MSI の検査が保険適用になっているのに対して，EBV の検出は認められていない．生検検体においても EBV encoded small RNA1 *in situ* hybridization（EBER1-ISH）や定量 PCR で EBVaGC の診断は可能であり，化学療法開始前に EBV の有無を調べることが望ましい[9]．

Epigenetic 治療（脱メチル化剤など）

EBV 関連胃癌の発生機序のうち，最も解析が進んでおり重要と考えられるのは，DNA メチル化との関連である．重要な癌抑制遺伝子の発現が DNA メチル化によって，抑制されている[10-13]．それに加えて，細胞障害性 T 細胞の標的になるような EBV の膜蛋白や宿主の腫瘍関連抗原の発現もメチル化により抑えられており，免疫からの回避を可能にしている[14]．DNA メチル化は通常不可逆的な変化であるが，脱メチル化剤によって，メチル基をはずすことが可能である．脱メチル化剤により，プロモーター領域の DNA メチル化により発現が抑えられている遺伝子は発現が回復する．

DNA メチル化酵素を阻害するアザシチジンは高リスクの骨髄異形成症候群の予後を改善することが報告され，急性骨髄性白血病にも適応が追加された．胃癌に対するアザシチジンの neoadjuvant chemotherapy の Phase I 試験では partial response（PR）67 ％，complete response（CR）25 ％と報告されており，改良レジメによる Phase II 試験が計画されている[15]．一般に固形癌への脱メチル化剤の投与は薬剤の到達が悪いとされている．Zhang らによる脱メチル化剤のスクリーニングによって発見された新規薬剤 MC180295 は cyclin-dependent kinase 9（CDK9）inhibitor の特徴をもち，明らかな脱メチル化作用を示さないもののクロマチン・リモデリングによって遺伝子の発現を回復させるヒストン脱アセチル化酵素阻害剤〔histone deacetylase（HDAC）inhibitor〕と同様の作用を示す[16]．われわれの検

討では EBV 陽性の細胞株において，より細胞増殖の抑制効果を認めており，今後の臨床試験に期待したい．

脱メチル化剤と並び HDAC inhibitor は EBV 感染細胞に溶解感染を誘導することが知られている[17]．したがって，EBVaGC に特異的に細胞死を誘導することが期待される．Hui らは，HDAC inhibitor である，trichostatin A，sodium butyrate，valproic acid，suberoylanilide hydroxamic acid（SAHA）が EBV を感染させた AGS 胃癌細胞株に溶解感染と細胞死を誘導することを報告している[18]．SAHA（ボリノスタット）は最も有力な薬剤と考えられたが，カペシタビンとシスプラチンにボリノスタットを併用した Phase I / II study において，6 か月後の progression free survival に差が認められず，血液学的毒性，血小板減少の優位に増加した[19]．

EBV 関連胃癌の抗悪性腫瘍薬感受性

胃癌の化学療法では，フッ化ピリミジン系抗悪性腫瘍剤やプラチナ製剤が中心に用いられてきた．これらの抗悪性腫瘍薬が奏功した EBVaGC の報告が散見されるが理由は不明である[20]．一方で EBV を感染させた AGS 胃癌細胞株は非感染コントロールと比較して，フルオロウラシル（5-FU）やドセタキセルに抵抗性であるとの報告がある[21, 22]．EBVaGC では 5-FU やシスプラチンの抵抗性にかかわる遺伝子である ABCG2，AHNAK2，BCL2，FZD1，TP73 が DNA メチル化によって発現が低下していると報告されており[23]，抗悪性腫瘍薬の感受性のよさにも DNA メチル化が関与しているかもしれない．

EBV 遺伝子に対する治療

1. EBNA1 遺伝子に対する治療

EBV-determined nuclear antigen 1（EBNA1）は B リンパ球の不死化に必須であり，EBV 感染細胞において EBV エピソームの保持と複製を担っている．したがって，胃癌を含む EBV 関連腫瘍には必ず発現している．また，EBNA1 が

promyelocytic leukemia nuclear bodies の破壊を引き起こすことが胃癌の発生にかかわっているとの機序も示されている[24]．

これまでいくつかの EBNA1 をターゲットにした治療が提案されている．Nasimuzzaman らは，EBV 感染 NU-GC3 胃癌細胞株に dominant negative 効果をもつ変異 EBNA1 を導入することによって，感染している EBV のコピー数が減少し，細胞増殖が抑制されることを報告した[25]．Thompson らは EBNA1 阻害剤をスクリーニングし，14,000 の物質から 3 つの構造的に EBNA1 に模倣した物質を発見した[26]．これらの EBNA1 阻害剤で EBV 陽性の B リンパ腫細胞株の Raji 細胞を処理すると，用量依存的に細胞の EBV コピー数が減少した．in silico のスクリーニングによって発見された同様の阻害剤は，EBV を排除する魅力的な候補になるかもしれない[27]．

2. EBV ワクチン

生ワクチンの開発は困難な状況にあるが，予防・治療用の成分型 EBV ワクチンの開発は継続的に行われている．ほとんどのワクチンに gp350 糖蛋白質が抗原として使用されている．その他の EBV 潜伏感染遺伝子として，EBNA1 や latent membrane protein 2A（LMP2A）も抗原として使用されている[28]．EBV の gH/gL のモノクローナル抗体である AMMOM1 は B 細胞や上皮細胞へのウイルス感染を阻害でき[29]，新しいタイプの EBV ワクチンを開発につながるかもしれない．

文　献

1) Cancer Genome Atlas Research Network : Comprehensive molecular characterization of gastric adenocarcinoma. Nature 2014 ; 513 : 202-209.

2) Oda K, et al. : Association of Epstein-Barr virus with gastric carcinoma with lymphoid stroma. Am J Pathol 1993 ; 143 : 1063-1071.

3) Nakamura S, et al. : Epstein-Barr virus in gastric carcinoma with lymphoid stroma. Special reference to its detection by the polymerase chain reaction and in situ hybridization in 99 tumors, including a

morphologic analysis. Cancer 1994；73：2239-2249.

4）Matsunou H, et al.：Characteristics of Epstein-Barr virus-associated gastric carcinoma with lymphoid stroma in Japan. Cancer 1996；77：1998-2004.

5）Watanabe H, et al.：Gastric carcinoma with lymphoid stroma. Its morphologic characteristics and prognostic correlations. Cancer 1976；38：232-243.

6）Sasaki S, et al.：EBV-associated gastric cancer evades T-cell immunity by PD-1/PD-L1 interactions. Gastric Cancer 2019；22：486-496.

7）Wang J, et al.：EBV miRNAs BART11 and BART17-3p promote immune escape through the enhancer-mediated transcription of PD-L1. Nat Commun 2022；13：866.

8）Kim ST, et al.：Comprehensive molecular characterization of clinical responses to PD-1 inhibition in metastatic gastric cancer. Nat Med 2018；24：1449-1458.

9）Shuto T, et al.：Establishment of a Screening Method for Epstein-Barr Virus-Associated Gastric Carcinoma by Droplet Digital PCR. Microorganisms 2019；7：628.

10）Chang MS, et al.：CpG island methylation status in gastric carcinoma with and without infection of Epstein-Barr virus. Clin Cancer Res 2006；12：2995-3002.

11）Kusano M, et al.：Genetic, epigenetic, and clinicopathologic features of gastric carcinomas with the CpG island methylator phenotype and an association with Epstein-Barr virus. Cancer 2006；106：1467-1479.

12）Saito M, et al.：Role of DNA methylation in the development of Epstein-Barr virus-associated gastric carcinoma. J Med Virol 2013；85：121-127.

13）Okada T, et al.：Identification of genes specifically methylated in Epstein-Barr virus-associated gastric carcinomas. Cancer Sci 2013；104：1309-1314.

14）Nishikawa J, et al.：The Role of Epigenetic Regulation in Epstein-Barr Virus-Associated Gastric Cancer. Int J Mol Sci 2017；18：1606.

15）Schneider BJ, et al.：Phase I study of epigenetic priming with azacitidine prior to standard neoadjuvant chemotherapy for patients with resectable gastric and esophageal adenocarcinoma：Evidence of tumor hypomethylation as an indicator of major histopathologic response. Clin Cancer Res 2017；23：2673-2680.

16）Zhang H, et al.：Targeting CDK9 reactivates epigenetically silenced genes in cancer. Cell 2018；175：1244-1258.

17）Chang LK, et al.：Activation of the BRLF1 promoter and lytic cycle of Epstein-Barr virus by histone acetylation. Nucleic Acids Res 2000；28：3918-3925.

18）Hui KF, et al.：Inhibition of class I histone deacetylases by romidepsin potently induces Epstein-Barr virus lytic cycle and mediates enhanced cell death with ganciclovir. Int J Cancer 2016；138：125-136.

19）Yoo C, et al.：Vorinostat in combination with capecitabine plus cisplatin as a first-line chemotherapy for patients with metastatic or unresectable gastric cancer：phase II study and biomarker analysis. Br J Cancer 2016；114：1185-1190.

20）田村　敦，他：S-1＋CDDPによる術前化学療法にて組織学的CRが得られた胃髄様癌の1例．日臨外会誌 2000；70：1071-1076.

21）Seo JS, et al.：Contribution of Epstein-Barr virus infection to chemoresistance of gastric carcinoma cells to 5-fluorouracil. Arch Pharm Res 2011；34：635-643.

22）Shin HJ, et al.：Association between Epstein-Barr virus infection and chemoresistance to docetaxel in gastric carcinoma. Mol Cells 2011；32：173-179.

23）Ohmura H, et al.：Methylation of drug resistance-related genes in chemotherapy-sensitive Epstein-Barr virus-associated gastric cancer. FEBS Open Bio 2020；10：147-157.

24）Nasimuzzaman M, et al.：Eradication of Epstein-Barr virus episome and associated inhibition of infected tumor cell growth by adenovirus vector-mediated transduction of dominant-negative EBNA1. Mol Ther 2005；11：578-590.

25）Sivachandran N, et al.：Contributions of the Epstein-Barr virus EBNA1 protein to gastric carcinoma. J Virol 2012；86：60-68.

26）Thompson S, et al.：Development of a high-throughput screen for inhibitors of Epstein-Barr virus EBNA1. J Biomol Screen 2010；15：1107-1115.

27）Li N, et al.：Discovery of selective inhibitors against EBNA1 via high throughput in silico virtual screening. PLoS ONE 2010；5：e10126.

28）Cohen JI：Epstein-Barr virus vaccines. Clin Transl Immunology 2015；4：e32.

29）Snijder J, et al.：An Antibody Targeting the Fusion Machinery Neutralizes Dual-Tropic Infection and Defines a Site of Vulnerability on Epstein-Barr Virus. Immunity 2018；48：799-811.

8 光免疫療法による胃癌治療への期待 (NIR-PIT of gastric cancer)

Molecular Imaging Branch, NCI/NIH

加藤卓也, 小林久隆

はじめに

半世紀以上, 固形癌に対する治療法は手術, 化学療法, 放射線治療が主体とされてきた. これらの治療法はすべて癌細胞そのものを傷害・排除することを目的としているが, 同時に, 宿主の免疫細胞を含む正常細胞や臓器も傷害され副作用が生じることが重大な問題となっている. これらの副作用を軽減し, 抗腫瘍効果を増幅させるために様々な工夫が開発されてきたが, いまだこの問題は解決されていない. 近年, 新たなアプローチとして, 宿主の腫瘍免疫を活性化させる"免疫療法"が第4のがん治療法として台頭し, 様々な悪性腫瘍に対してすでに臨床応用されている. 免疫療法がもたらす劇的な治療効果が, 現在の癌治療戦略に大きな変化を起こしているのは周知の事実である. しかしながら, 免疫療法にもいくつかの問題点が存在する. 多くの癌に対する免疫療法は, 宿主の腫瘍免疫応答を全身で活性化させるものである. 免疫療法による癌に対する効果は宿主の癌特異抗原を認識する腫瘍免疫が活性化することで抗腫瘍効果が認められるため, 宿主の腫瘍免疫が癌細胞を十分に認識できない状況や, 異なる免疫抑制機構が働き宿主の腫瘍免疫が十分に賦活化できない場合には, その効果は著しく減弱する. このような理由で起こる免疫療法は劇的に効果がある一方で奏効率が低いことが問題である. さらに有害事象として, 免疫抑制解除に伴い過剰に免疫が活性化され, 免疫寛容が破綻することで各臓器に自己免疫疾患様症状が出現することがあり, 免疫関連副作用 (immune-related adverse event: irAE) とよばれ問題になっている. そこで, 理想的な癌治療は, 癌細胞のみ殺傷し, 周囲の正常組織を傷つけることなく局所の腫瘍免疫を高めることと考えられる. このコンセプトのもと, われわれは新しい癌治療法として近赤外線を用いた光免疫療法 (near-infrared photoimmunotherapy: NIR-PIT) を開発した[1]. 本項では, NIR-PIT の原理と基礎実験で得られた知見および実際の臨床応用について言及したあとに, 胃癌ならびに Epstein-Barr ウイルス (Epstein-Barr virus: EBV) 関連胃癌 (EBV-associated gastric cancer: EBVaGC) に対する治療法としての将来的展望について考察した.

NIR-PIT の概要

NIR-PIT の作用機序について概説する[2]. 癌の細胞表面に結合する抗体を選択し, その抗体に近赤外線に光感受性をもつ化学物質 (IRdye700DX: IR700) を結合させ, 抗体-光感受性物質複合体 (antibody photoabsorber conjugate: APC) を作成する. 続いて, APC を経静脈的に投与することにより, APC が標的腫瘍まで到達し, 標的の癌細胞と特異的に結合される. 近赤外線 (約690 nm の波長) が照射されると, IR700 に起こる化学反応によって, IR700 が結合している抗体の構造学的変化が引き起こされる. 続いて, 抗体と結合している細胞表面の細胞膜 (脂質二重膜) が傷害されることにより, 細胞外から細胞内へ水分が急激に流入される. その結果, 細胞は膨化し, 最終的に破裂しがん細胞死が誘導される. この一連の反応は, APC が結合していない細胞あるいは APC が結合していても近赤外線が当たらなければ起こらない. また本治療で使用される近赤外線の線量では細胞レベルでも影響を与えることはないために, 正常細胞に傷害を与えることなく, 近赤外線

の照射範囲内の標的細胞のみ殺傷することが可能である．さらに特筆すべき点として，このプロセスで免疫原性細胞死（immunogenic cell death：ICD）が生じている．NIR-PIT 後，adenosine triphosphate（ATP），calreticulin（CRT），high mobility group box 1（HMGB1）などの細胞死シグナルや癌特異的抗原物質（neoantigen）が細胞膜障害後，急速に放出される．これらの物質により樹状細胞の成熟促進や活性化が誘導され，癌抗原特異的ナイーブ T 細胞がプライミングされることによって腫瘍細胞特異的な細胞障害性免疫が惹起される．放射線治療や化学療法などの既存の治療により引き起こされる細胞死はおもにアポトーシスであり，癌細胞内容物が細胞外へ放出されにくく，これらの免疫サイクルの活性化は引き起こされにくい．したがって，NIR-PIT 後は，破壊された細胞から放出される腫瘍特異的抗原それぞれに対する T 細胞の認識が高まるため，APC の投与量不足もしくは腫瘍細胞の不均一性に起因する標的抗原の欠如などによりすべての癌細胞の細胞傷害が得られなかったとしても，このマルチクローナル免疫応答が残存する癌細胞を排除する可能性を秘めている．さらに，NIR-PIT は反復治療回数の制限がないという利点を有するため，複数回の NIR-PIT による相加・相乗効果が得られる可能性が存在する．したがって，NIR-PIT は既存の癌治療法とは異なり，選択的にがん細胞を殺傷するだけでなく，正常細胞を傷つけず宿主の免疫細胞を活性化させることのできる全く新しい癌治療法と位置づけることができる．

NIR-PIT と光線力学療法との違い

光線力学療法（Photodynamic therapy：PDT）は既存の光線治療として肺癌，消化器癌，子宮頸癌など一部の悪性腫瘍において，保険適用されており，すでに臨床で用いられている．特定の波長光線や光感受性物質を用いるなどの共通点は認めるものの，PDT と NIR-PIT は全く異なる機序の治療法である．PDT は光増感剤としてヘマトポルフィリンなどのポルフィリン誘導体を用いられる．これらの薬剤は疎水性という性質から，体内に投

与されたのちに癌細胞へ若干多くの取り込みは認められるものの，正常細胞を含むすべての細胞に取り込まれる．そのために，光の照射部位に存在するすべての細胞が傷害される危険性があるうえに，通常の室内光や日光によって，光に曝される体表部分（皮膚や目など）に光過敏症が副作用として起こりうる．さらに，PDT の細胞傷害は光エネルギーによって励起された光感受性物質によって放出される活性酸素（reactive oxygen species：ROS）に依存しており，ROS により誘導される細胞傷害機序はアポトーシスとされている．一方，NIR-PIT は前述したように，近赤外線によって活性化した APC が形態変化を引き起こし，結果的に細胞膜を傷害してネクローシスを引き起こすという PDT とは別の機序で成り立っている．この反応は ROS 非依存性であり，APC が結合していない正常細胞には細胞傷害は引き起こされない．また，光感受性物質である IR700 自体が親水性であり，標的分子と結合する以外は，他の非標的細胞に非特異的に取り込まれることはない．以上の点から，NIR-PIT と PDT は異なる治療法として論じる必要がある．

頭頸部腫瘍に対する光免疫療法の現状

切除不能頭頸部腫瘍に対して epidermal growth factor receptor（EGFR）を標的とし，光感受性物質である IR700 を結合させた抗 EGFR 抗体（cetuximab-IR700：RM-1929）を用いた NIR-PIT による第 I／II a 相臨床試験が施行された[3]．その結果から，NIR-PIT は重度な副作用は認められず，奏効率は 43.3％（完全奏効が 13.3％，部分奏効が 30.0％）と，NIR-PIT の安全性ならびに有効性が証明された．2019 年には国際第 III 相試験が開始されている（https://clinicaltrials.gov/ct2/show/NCT03769506）．さらに 2020 年 9 月より，日本においては，楽天メディカル社が厚生労働省より製造販売承認を受け，現在，切除不能な局所進行または局所再発の頭頸部癌に対して保険診療として認められている．実臨床においての治療スケジュールは，セツキシマブ-IR700 複合体（アキャルックス®）を点滴静注した 1 日後に，BioBlade®

レーザシステムによる波長 690 nm の近赤外線レーザーを標的腫瘍に照射する．浅在性の腫瘍に対しては体表からアプローチし，一方で深在性腫瘍に対しては光拡散ファイバー（cylindrical light diffuser）を用いて照射を行っている．有害事象がなければ数日間で1回の治療が完結することが可能であり，完全奏効が得られない場合には，4週間以上の間隔を空けて，最大4回まで同一病巣部位に対して治療が可能である．現在，国内約40の施設で本治療が提供可能となっている．

胃癌に対する NIR-PIT の応用

現在，NIR-PIT は頭頸部癌患者のみと適応が限られているが，胃癌患者に対しても理論的には応用が可能である．現在，切除不能な進行・再発胃癌・食道がんに対して，抗 programmed cell death protein 1（PD-1）抗体と抗 EGFR 抗体-IR700 複合体を用いた NIR-PIT 併用療法の第 I 相臨床試験が開始されている（https://www.clinicaltrials.jp/cti-user/trial/ShowDirect.jsp?clinicalTrialId=32655）．EGFR を標的分子とした癌細胞標的 NIR-PIT が臨床で用いられてい

るが，IR700 を結合させる抗体を変えることで，様々な癌細胞を標的とすることが可能である（図1）．近赤外線は組織表面から約2 cm 程度しか透過できないため胃癌に対して体表から標的細胞に照射することは困難であるが，光拡散ファイバーと内視鏡を用いることで胃管腔内から標的細胞に近赤外線を照射することが実現できる．実際の動物実験で得られている結果を元に，胃癌に対する NIR-PIT の標的分子を列挙し，胃癌への応用の可能性を考察したい[4]．

1. EGFR

赤芽球症癌遺伝子 B（erythroblastosis oncogene B：ErbB）ファミリーに属する EGFR は，膜貫通型チロシンキナーゼ受容体であり，生理学的に EGFR は上皮組織の発達と恒常性を調節している．EGFR の変異ならびに過剰発現は様々な癌で認められ，いくつかの腫瘍では予後不良と関連づけられており，EGFR を標的とした治療が開発されている．キメラ IgG1 モノクローナル抗体であり EGFR リガンド結合の競合的阻害剤であるセツ

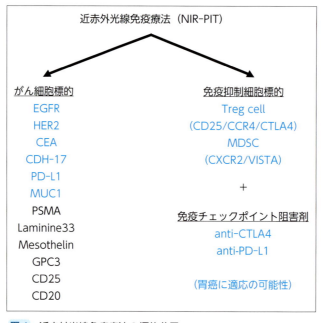

図1 近赤外光線免疫療法の標的分子

キシマブは頭頸部扁平上皮癌，結腸直腸癌，および非小細胞肺癌などの患者に対して保険適用が認められている．NIR-PITではじめて承認されたAPC（アキャルックス®）は，このセツキシマブとIR700を用いて合成されている．わが国においては，臨床試験の結果から胃癌に対しての抗EGFR抗体の効果が限定的であることから，保険診療での使用は現段階では認められていない．しかしながら，免疫組織学的染色の結果によると42〜58％の胃癌患者においてEGFRが過剰発現していると報告されている．EGFR過剰発現の頭頸部腫瘍の結果を，そのまま胃癌に外挿することは困難ではあるものの，抗EGFR抗体を用いたNIR-PITの可能性は十分にあると思われる．

2.　HER2

Human epidermal growth factor receptor 2（HER2）はHER2/neu，c-erbB2またはERBB2としても知られる膜貫通型チロシンキナーゼ受容体であり，EGFR同様ErbBファミリーのひとつである．HER2の過剰発現は，他のErbBファミリー受容体とホモ二量体またはヘテロ二量体を生成し，細胞増殖，生存，血管新生を促進する発癌の下流シグナル伝達（PI3K/Akt/mTORやMAPKなど）の活性化を引き起こすとされている．胃癌患者におけるHER2過剰発現率は約20％とされており，現在わが国ではHER2陽性切除不能進行癌や再発胃癌に対して，抗HER2抗体を加えた多剤併用化学療法が推奨されている．動物実験において，HER2標的NIR-PITはHER2を過剰発現したヒト乳癌細胞株，非小細胞肺癌細胞株，卵巣癌細胞株の皮下腫瘍モデルにおいて抗腫瘍効果を示している．HER2陽性胃癌細胞を用いた腹膜播種マウスモデルに対して，APC（抗HER2抗体：トラスツズマブ-IR700）投与の1日後，内視鏡を下腹部の小切開部から腹腔内に挿入し，光拡散ファイバーを用い近赤外線を腹腔に照射した．NIR-PIT治療群は，無治療群と比べ有意に腹膜播種の進行を抑えることが可能であった．以上より，胃癌において，HER2は理想的なターゲット分子になりうる可能性があり，また内視鏡を用い

たNIR-PITも期待できる．

3.　癌胎児性抗原

細胞接着に関与する糖蛋白質である癌胎児性抗原（carcinoembryonic antigen：CEA）は，発見から50年以上経った今でも，様々な癌の腫瘍マーカーとして使用されており，CEAの発現レベルは結腸直腸癌患者の予後に関連していると報告されている．CEAは結腸直腸癌において腫瘍と正常組織と区別することができ，癌転移陽性リンパ節を検出するためのすぐれたマーカーとしても知られていることから，CEAは癌治療の有力なターゲットとなりうる．CEAを標的としたNIR-PITは胃癌のマウスモデルだけでなく，同所性膵臓腫瘍モデルにおいても腫瘍増殖抑制が有意に認められた．さらに，同所性膵臓腫瘍モデルにおいてNIR-PITと手術の併用療法が検討されており，NIR-PITが手術後に残存する癌細胞を標的・治療することにより，有意に術後再発を軽減させることが証明された．したがって，NIR-PITはCEAを標的とし胃癌を治療することだけでなく，従来の癌治療の補助治療となる可能性も示唆された．

4.　CDH-17

消化器癌に特異的な細胞表面バイオマーカーであるCadherin-17（CDH-17）は，細胞間接着接合分子のひとつで癌細胞の接着，進行，および転移において重要な役割をはたすとされており，胃癌，結腸直腸癌，膵臓癌などの腺癌細胞で過剰発現していることが報告されている．CDH-17を標的としたNIR-PITは，胃癌および膵臓癌の皮下腫瘍モデルで腫瘍増殖を抑制したことを認めており，胃癌においてCDH-17を標的とするNIR-PITも，他のNIR-PITと同様に新規癌標的療法として期待が持てる治療法のひとつである．

EBV関連胃癌に対するNIR-PITの期待と展望

EBVの詳細な疫学や臨床像などについては他項を参照されたい．EBVaGCの治療法の点から論

ずると，標準胃癌治療と異なる特異的な治療法は確立されておらず，他の胃癌と同様の治療が行われているのが現状である．その理由として，早期癌・進行癌ともにリンパ節転移の頻度が他の胃癌に比べて低く，その結果，外科的切除後の長期予後が良好であるとの臨床的特徴が報告されているためと推測される．しかしながら，EBVaGC は，分子生物学的に他の胃癌と異なることが示されており，他の胃癌と区別して治療を行うことが今後必要になる可能性がある．The Cancer Genome Atlas（TCGA）による網羅的解析の結果から，EBVaGC の特徴として，PIK3CA 変異，DNA メチル化ならびに JAK2 の増幅，PD-1 ligand 1（PD-L1）/L2 の過剰発現，多数の免疫細胞の存在があげられる[5]．EBVaGC の病理組織学的検討では，間質に著明なリンパ球が浸潤しており，そのサブタイプは CD8 陽性 T リンパ球であるとされている．これらから，EBVaGC は免疫原性の高い immunogenic tumor であることが推測され，免疫療法，特に免疫チェックポイント阻害剤（immuno-checkpoint inhibitor：ICI）による高い効果が期待できる．先述したように，NIR-PIT は腫瘍細胞を殺傷するだけでなく，抗原提示細胞に癌細胞の特異抗原の認識を高めさせることができるために，宿主の腫瘍免疫を活性化させる利点を有している．さらにウイルス性発がんで起こる様々な腫瘍は，細胞内のウイルス抗原も癌特異抗原として利用することが可能である．実際にわれわれはパピローマウイルスの E6，E7 癌遺伝子を導入した癌細胞による同種皮下腫瘍モデルにおいて，NIR-PIT はウイルス原生の蛋白質である E7 に対する T 細胞の認識が促進されることを動物実験で証明している．以上より，NIR-PIT によって誘導される ICD は免疫原性の高い EBVaGC に対して宿主の腫瘍免疫を大幅に増幅させることが想定され，NIR-PIT は EBVaGC に対して将来性のある治療法である．

　EBVaGC に NIR-PIT の技術を応用する際に，適切な標的抗原に対する抗体を選択することが非常に重要である．TCGA の解析の結果から，EBVaGC 細胞自体の PD-L1/L2 の発現が高いこ

とが認められている．PD-1 は，自己免疫を抑制する T 細胞免疫チェックポイントであり，そのリガンドである PD-L1 を発現する細胞の免疫寛容が認められ，これらの細胞でアップレギュレーションされた PD-L1 は T 細胞の疲弊・枯渇を誘導する．PD-L1 は免疫細胞（B 細胞，T 細胞，dendritic cell（DC），マクロファージなど）を含む種々の正常細胞に発現を認めるものの，胃癌を含む多くの悪性腫瘍（悪性黒色腫，腎細胞癌，非小細胞肺癌，卵巣癌，結腸直腸癌など）の癌細胞で過剰発現が認められている．さらに，PD-L1 の過剰発現自体が予後不良と関連している報告があり，PD-L1 発現癌細胞を標的とすることは理に適っている．われわれは，完全ヒト化 IgG1 抗 PD-L1 モノクローナル抗体（Avelumab）を用いて，PD-L1 陽性癌細胞を標的とする NIR-PIT を開発した．皮下ならびに同所腫瘍移植モデルにおいて，この NIR-PIT は腫瘍増殖を有意に抑制し全生存期間を延長したことが証明された．したがって，PD-L1 を高発現している EBVaGC に対しても，PD-L1 標的 NIR-PIT は臨床応用に対して大いに期待が持てる治療法である．

　前述したように，NIR-PIT は既存の治療法とは異なり，ICD を引き起こすことが認められている．NIR-PIT により癌細胞の細胞膜が傷害され急速に細胞壊死が起こった場合，細胞構成物（蛋白，核酸など）が neoantigen として細胞外に放出され，これらの物質が免疫応答細胞である樹状細胞やマクロファージに取り込まれたあとに，宿主の腫瘍免疫が活性化される．しかしながら，動物実験において複数回にわたり癌細胞標的 NIR-PIT を繰り返し行っても，癌が完全に消失しないことも見受けられる．これは，PD-1/PD-L1 や cytotoxic T-lymphocyte associated protein 4（CTLA4）などの免疫チェックポイント機構をはじめ，様々なメカニズムにより癌細胞が免疫監視機構から逃れており，NIR-PIT により ICD を引き起こしても腫瘍免疫が活性化されないことに起因すると考えられる．理論的には，NIR-PIT と ICI を併用すれば癌細胞に対する腫瘍免疫が強力に活性化されるはずである．免疫機能が正常なマ

ウスにおいて癌細胞標的 NIR-PIT と抗 PD-1 抗体の併用療法を行なったところ，50％を超える腫瘍の完全消失が認められただけでなく，光非照射部の腫瘍であっても腫瘍縮小効果が認められ（abscopal effect），腫瘍および腫瘍周囲の免疫細胞の活性化が証明された．この相乗効果は抗 CTLA4 抗体を用いた場合でも同様に確認することができた．

さらに，NIR-PIT は，腫瘍微小環境に存在する癌細胞以外の細胞を標的にすることも可能である．われわれは抗 CD25 抗体や抗 CTLA4 抗体を用いて，おもに抑制性 T 細胞（regulatory T cell：Treg）を標的とする免疫細胞標的 NIR-PIT を開発した．ICI を単独投与するときよりも，直接 Treg を除去することでより強力な腫瘍免疫が惹起されることを証明した．この方法を用いることでより高い腫瘍消失率が得られるだけでなく，投与する抗体量を減らせることができるために，ICI 独特の副作用（irAE など）を軽減させる可能性を秘めている．この治療法は，免疫原性の高い immunogenic tumor でより奏効率が高いことが動物実験により認められた．したがって，免疫原性の高いことが予測される EBVaGC は免疫細胞を標的とした NIR-PIT の恩恵を受けやすい腫瘍であると推測される．

おわりに

胃癌，特に EBVaGC に対して，NIR-PIT の臨床応用の可能性について論じた．今までの動物実験ならびに臨床使用経験から，胃癌細胞上のいくつかの標的分子は同定されており，それに対する抗体も存在する．それらを用いれば，胃癌に対する NIR-PIT は臨床応用可能であると考えられる．さらに，EBVaGC に限っていえば，PD-L1 高発現の腫瘍であることが知られており，PD-L1 自体を標的とすることで癌細胞を NIR-PIT で殺傷することが可能と考える．また，EBVaGC は腫瘍内ならびに周辺にリンパ球が浸潤している immunogenic tumor であることから，腫瘍免疫をより増強させることのできる NIR-PIT は理に適っており，さらに免疫療法を併用することで高い相乗効果が期待できる．今後，様々なエビデンスや臨床経験を積み重ね，早い段階での胃癌，特に EBVaGC への臨床応用を期待したい．

文　献

1) Mitsunaga M, et al.：Cancer cell-selective in vivo near infrared photoimmunotherapy targeting specific membrane molecules. Nature medicine 2011；17：1685-1691.
2) Kobayashi H, et al.：Near-Infrared Photoimmunotherapy of Cancer. Acc Chem Res 2019；52：2332-2339.
3) Cognetti DM, et al.：Phase 1/2a, open-label, multicenter study of RM-1929 photoimmunotherapy in patients with locoregional, recurrent head and neck squamous cell carcinoma. Head Neck 2021；43：3875-3887.
4) Kato T, et al.：Near Infrared Photoimmunotherapy；A Review of Targets for Cancer Therapy. Cancers (Basel) 2021；13：2535.
5) Cancer Genome Atlas Research Network：Comprehensive molecular characterization of gastric adenocarcinoma. Nature 2014；513：202-209.

II

EB ウイルス
関連胃癌の基礎研究

1 EB ウイルス関連胃癌―発生から進展まで―

旭中央病院遠隔病理診断センター
深山正久

　胃癌の発生に関しては，多くの場合，ピロリ菌の感染，慢性胃炎，腸上皮化生，そして癌へと至る「感染，炎症，発がん」の経路をたどっていると考えられている（いわゆる Correa の仮説）．Epstein-Barr ウイルス（Epstein-Barr virus：EBV）関連胃癌の場合はどうであろうか．EBV 関連胃癌はウイルス感染上皮細胞のクローナルな増殖という特性で他の胃癌と区別されるほか，分子機序による胃癌分類でマイクロサテライト不安定性（microsatellite instable：MSI）胃癌，染色体不安定性（chromosome instable：CSI）胃癌，ゲノム安定性（genomically stable：GS）胃癌と並んで，4つのサブタイプのなかの1つとして位置づけられている（図 1）．分子機序によるサブタイプは，次世代シーケンサーによる多数例の網羅的な解析により見出されたもので，胃癌サブタイプごとに特異的な治療標的候補を示したという点で画期的であった．またそれは同時に，4サブタイプそれぞれに特異的な発生機序があり，個別に掘り下げるべき重要性を示している．本章では，EBV

関連胃癌の発生から進展までを病理形態学的に追い（図 2），EBV 関連胃癌独自の「炎症，感染，発がん」（図 3）のシーケンスについて俯瞰したい[1]．

EBV 関連胃癌発生過程の病理形態学

1. EBV 関連胃癌発生初期へのアプローチ

　EBV 関連胃癌が EBV 感染細胞のクローナルな増殖であることは，ウイルス粒子内の直線状 EBV DNA の両端にある「末端繰り返し配列（terminal repeat：TR）」の解析により示された．EBV は二本鎖 DNA ウイルスであり，感染前のウイルス粒子内では DNA は直線状であるが，感染細胞核内では両端が結合して円環状となる．この際に TR の一部が切り出されるため，核内のウイルス TR の長さは感染細胞ごとに異なり特異的な長さになる．したがって，TR の長さを知ることで感染細胞のクローナリティを調べることができる．胃癌組織を解析した結果，感染細胞はモノクローナルであり，しかも粘膜内癌の段階からクローナルな

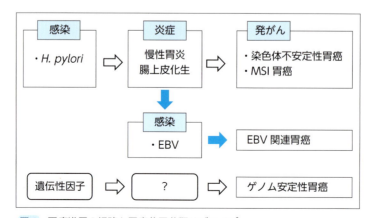

図 1　胃癌進展の経路と胃癌分子分類サブタイプ
EBV 関連胃癌の経路（➡）は，炎症‐感染‐発がん

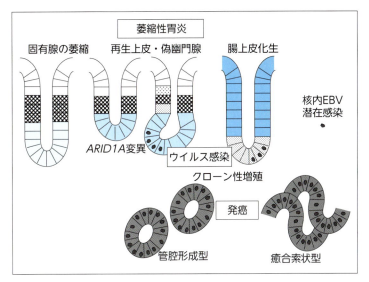

図2 病理形態学からみた EBV 関連胃癌の発生経路

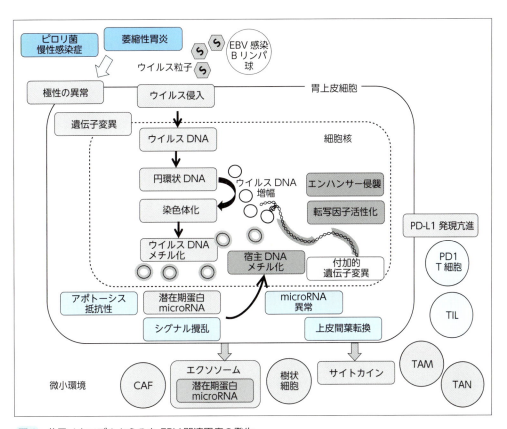

図3 分子メカニズムからみた EBV 関連胃癌の発生

CAF：cancer associated fibroblast, TAM：tumor associated macrophage, TAN：tumor associated neutrophil, TIL：tumor infiltrating lymphocyte

増殖であることが明らかになっている.

EBV 小分子 RNA の EBV encoded small RNA（EBER）は，クローバ型の二次構造をとる安定な non-coding RNA で，潜在感染の初期から感染細胞に発現し核内で $10^{6〜7}$ コピーに増幅するといわれている. このため，ホルマリン固定パラフィン切片上でも容易にシグナルを確認でき，EBER を標的にした *in situ* hybridization（EBER-ISH）は現在，「病理組織で EBER 陽性シグナルを示す胃癌を EBV 関連胃癌とする」として，サブタイプ同定の基準ともなっている. こうして EBER-ISH は通常の病理組織切片を用いて容易に実施することができ，早期の胃癌組織に応用すると，粘膜内癌の段階でも胃癌細胞すべてが陽性シグナルを示すことが明らかにされた. さらに，同定できた比較的小型の早期胃癌の周囲粘膜を検討すると，中等度から高度の萎縮性胃粘膜が特徴的であった. これは，EBV 関連胃癌の成立には，背景として胃炎の存在が重要であることを病理組織学的に示している.

それでは，EBV の胃上皮細胞への感染は，いつ，どのようにして起こり，臨床的な胃癌（内視鏡的に認識できる病変）まで成長するのか. この問題に関するアプローチとして，非腫瘍性胃粘膜における感染状況の検討についてみてみたい.

2. 非腫瘍性粘膜における感染状況

EBV の胃粘膜，特に上皮細胞への感染状況を検討するためには，EBV 陽性リンパ球の混入を除く必要がある. そのため，胃粘膜組織を丸ごと解析するのではなく，感染細胞の特定が可能なアプローチが必須になる. 最近はシングルセルシーケンス技術が腫瘍性疾患の研究に応用されつつあるが，EBV 関連胃癌の前がん病変の頻度からみて今のところ適用はむずかしいと思われる.

これまで病理組織学的な手法として，EBV DNA を標的にした *in situ* hybridization が試みられたが，感度，特異性の点で十分再現性のある結果が得られていない. われわれは EBER-ISH を用いて，多数例（300 症例）の非腫瘍性胃粘膜組織 1,110 切片（約 3 cm 長／切片）について探索し

た[2]. その結果，腺管単位で陽性所見を示す病巣を 2 病巣見出した（0.18%）. 一方，胃癌に頻発する p53 異常を非腫瘍性粘膜において免疫組織化学的に検討した Ochiai らの研究によると，p53 陽性病巣の頻度は，759 切片中 19 病巣，2.5% であった. *TP53* 変異を有する胃癌はクロモソーム不安定性胃癌，形態学的には腸型胃癌に相当する. このタイプは胃癌全体の 50% を占め，EBV 関連胃癌の 3.5〜10% に比べると，約 14 倍の頻度となる. 非腫瘍性胃粘膜における両者の陽性病巣の頻度，2 対 25 は胃癌サブタイプの頻度にほぼ対応しており，これらの非腫瘍性粘膜内の病巣がそれぞれの癌サブタイプの前駆病変であると推定された.

3. 非腫瘍性 EBV 感染上皮細胞

次に胃癌病巣の周辺に同定された EBER 陽性で非腫瘍性である 4 病巣を加えて，組織像を検討すると Type1-再生性・偽幽門腺様病巣と Type2-腸上皮化生腺管病巣の 2 つの Type があることが判明した（図 2）.

ここでわれわれは，EBV 関連胃癌に比較的特異的にみられた遺伝子異常 *ARID1A* 変異に注目した（表 1）. 胃癌にみられた *ARID1A* 変異は，ほとんどの場合，遺伝子発現が消失するため「免疫染色での発現消失」を変異の指標として用いることができる. 実際，胃癌を早期胃癌，進行胃癌に二大別すると，EBV 関連胃癌以外のサブタイプでは進行胃癌での頻度が有意に高く，癌の進行に従って異常が起きていることを示している. 一方，EBV 関連胃癌では，ARID1A 異常の頻度は早期，進行ともに差はなく，ARID1A 異常が早期から起きていると考えられる. そこで，非腫瘍性病巣と ARID1A 異常との関係をみると，ARID1A 発現が消失していたのは Type1-再生性・偽幽門腺様病巣であった.

次に早期の EBV 関連胃癌について検討すると，ARID1A 発現消失の胃癌では明瞭な腺管を形成していたが，ARID1A 発現保持の胃癌では索状癒合型の胃癌であった. すなわち，Type1 病巣から腺管形成型の EBV 関連胃癌が，Type2 から癒合索状型の胃癌がそれぞれ発生するものと推定して

表1 EBV 関連胃癌における細胞内異常

EBV 潜在期遺伝子産物	
潜在期蛋白	
EBNA1	・EBV-DNA 複製
	・アポトーシス抵抗性(ATF ↑),PML ボディ減少
LMP2A	・アポトーシス抵抗性(NFκB ↑),(cyclin E ↑),(ATF ↑)
	・上皮間葉転換(Drp-1 ↑)
	・CpG メチル化(pStat3 ↑/DNMT1 ↑),(DNMT3b ↑),(TET2 ↓)
	・転写因子活性化(pStat3 ↑/EHF ↑)
BARF0	・CpG メチル化(TET2 ↓)
BARF1	・アポトーシス抵抗性(Bcl2 ↑)
	・細胞増殖(NFκB ↑,cyclin D1 ↑)
Non-coding RNA	
EBER1,2	・自己増殖オートクリン(IGF1 ↑)
	・上皮間葉転換(has-miR200a,200b ↑)
	・アポトーシス抵抗性(ATF ↑)
マイクロ RNA	
cluster 1,cluster 2	・細胞増殖
BART4-5p	・アポトーシス抵抗性(Bid ↓)
宿主細胞遺伝子異常,エピジェネティクス異常	
高メチル化形質	・癌関連分子発現↓(p16,p73,E-cadherin など)
(*MLH1* promoter を除く)	・MLH1 発現の維持,microsatellite 安定
エンハンサー侵襲	・胃癌関連遺伝子発現↑(TGFBR,MZT1 など)
遺伝子変異	
ARID1A	・ARID1A 発現消失,感染効率↑
PIK3CA	・hot spot 部位以外の変異
AKT2	・EBV 関連胃癌患者の予後不良
9p 増幅	・PD-L1 発現↑
JAK2/PD-L1/PD-L2	

↑:亢進,活性化,↓:低下,抑制
〔文献1より作成〕

いる.Type1 病変は形態学的な異形成を示しているが,Type2 には形態異常がなく,感染に引き続き,さらに遺伝子異常が加わって発生している可能性がある.

4. EBV 関連胃癌の進展

いったん成立した EBV 関連胃癌について,その病理形態学的,臨床的特徴については,EBV 関連胃癌の病理,臨床の項でそれぞれ詳述されている.ここでは,EBV 関連胃癌におけるウイルスコピー数について言及しておきたい[3].EBV 関連胃癌の進展過程でウイルス DNA が抜け落ちる場合もまれにあるが,多くの場合は一定に保持されているものと考えられている.実際,EBV 関連胃癌症例 40 例に対し,reverse transcription(RT)-PCR でのコピー数と,画像解析による上皮細胞の数から1細胞当たりのコピー数を算定すると,1.2 から 185 コピーであり,中央値は 9.9 であった.コピー数を 10 未満,10 以上で2群に分けると,高コピー数の胃癌は免疫回避に働く programmed cell death 1-ligand 1(PD-L1)蛋白の発現が有意に高く,EBV の存在自身も胃癌細胞の特性に関与している結果であった.

EBV 関連胃癌の炎症・感染・発がんシーケンス

形態学的観察から導かれた仮説に従い,細胞生物学的,分子生物学的知見を素描する(図3)[1].

1.　胃上皮細胞へのウイルス感染

　実際の胃上皮細胞への感染メカニズム (p.84「EB ウイルス感染の基礎知識－代表的な細胞株とウイルス遺伝子発現様式－」の項参照) について, 最近, 上皮細胞のレセプター ephrin receptor A2 (EPHA2) が同定された. 胃オルガノイドを用いた Bartfield らのグループの検討によると[4], 胃癌細胞オルガノイドへの EBV 感染は可能であるが, 正常胃上皮に由来する胃オルガノイドでは感染が困難であった. EPHA2 の局在が両者では異なっており, 胃オルガノイドでは極性が明確で細胞間に限局していた. このため, ピロリ菌感染による胃炎などによる胃上皮細胞への injury, あるいは先行する遺伝子変異により, EPHA2 の局在が変化する必要があるのではないかと著者らは推測している (ただし, 彼らが提示している胃組織標本の EBER-ISH の Fig. 5 に関しては, 核内への局在, 特異性という点で疑問が残る). この結果は, 病理形態学的に早期胃癌の周囲粘膜の特徴が中等度以上の萎縮性胃炎であった事実とも符合している.

　EBV の上皮細胞への感染に関して, われわれは胃癌細胞を用いて, small interfering RNA (siRNA) によって ARID1A 発現を knockdown, あるいは ARID1 遺伝子を CRISPR/Cas9 によって knockout すると, 感染効率が数倍, 十数倍に増加することを見出している[2]. また, ピロリ菌感染時に胃細胞に注入される CagA 蛋白によって, 感染細胞の ARID1A 発現が低下するという報告もあり, ピロリ菌の慢性感染状態が直接, EBV 感染を促進している可能性もある.

　次に, EBV が細胞内に侵入し, 核内では円環状 DNA となり, コピー数を増加させ, 潜在期感染を成立させる機構については多くが不明である. EBV が核膜の lamin 分子に結合し, EBV の潜在期蛋白の発現に関係しているとの報告もある.

　EBV の DNA がいったん核内に侵入すると数週間のうちに, EBV DNA のメチル化に引き続き, 宿主 DNA の CpG メチル化が大規模に起こる. その結果, 多くの遺伝子の発現が抑制され, 特にが

ん抑制遺伝子 p16 (CDKN2A) の発現抑制をきたすことが明らかになった. 一方, 複数の EBV がゲノム上のエンハンサー部位に接近し, 周囲のクロマチン構造を変化させ (エンハンサー侵襲), 転写因子などの遺伝子の活性化をもたらすことも最近解明された (p.74「EB ウイルス関連胃癌と宿主細胞ゲノムメチル化」の項参照).

2.　胃癌上皮細胞の増殖, アポトーシス抵抗性

　EBV の潜在感染が成立し, クローナルな増殖を開始した時点で, EBV 関連胃癌の増殖に必要な細胞内シグナルの活性化, 上皮間葉転換が起こっている (図 3).

　EBV 潜在期蛋白による細胞内シグナルの攪乱については多くの事実が明らかにされており, われわれが明らかにしたものには, EBV 潜在期遺伝子蛋白 latent membrane protein 2A (LMP2A) による nuclear factor kappa-B (NF-κB) の活性化-survivin 発現亢進, EBV 自身の microRNA (miRNA) である BamHI A rightward transcripts (BART) 4-5p による Bid 発現亢進を介する apoptosis 抑制, また潜在期遺伝子蛋白 (LMP2A, BamHI A rightward frame (BARF) 0)-感染細胞の miRNA200 (miR200) の発現抑制-zinc finger E-box binding homeobox1 (ZEB1) 発現亢進-E カドヘリン発現抑制による上皮間葉転換などがある. さらに最近, ウイルス自体のエンハンサー侵襲機構による癌関連遺伝子活性化も明らかにされた.

3.　癌微小環境におけるクロストーク

　EBV 感染上皮細胞のクローンが成立し, さらに臨床的な癌となり, 浸潤, 転移を引き起こすには, 免疫監視機構を回避する必要がある. 特に EBV 関連胃癌では, 宿主免疫機構の活性化により, リンパ球をはじめ種々の炎症細胞が浸潤しているため, 癌細胞はそれらの細胞との相互作用により微小環境を改変していると考えられる. 特に, programmed cell death 1 (PD-1) 陽性リンパ球による腫瘍免疫の回避には, EBV 関連胃癌の場合, PD-L1 遺伝子の発現増強, さらに腫瘍

内の一部に *PD-L1* 遺伝子増幅が生じていることが注目されている[1]. また，EBV 感染胃癌細胞におけるエクソソーム分泌と機能について検討すると[5]，感染細胞ではエクソソームの分泌が増加しており，感染細胞由来エクソソームを添加することにより単球由来樹状細胞の分化誘導が抑制された. 胃癌組織においても，樹状細胞数自体は増加しているが成熟樹状細胞の比率が低くなっていることから，EBV 関連胃癌ではエクソソーム内のウイルス由来遺伝子産物を介して微小環境を制御しているものと考えられる.

EBV 関連胃癌の発生過程の研究を振り返って

　胃癌は組織像が多種多様であるが，長らく病理形態学的に腸型（分化型）とびまん型（未分化型）の 2 つのタイプに分類され，発生過程の研究が進められてきた. 筆者は 30 年前に EBV 関連胃癌というサブタイプの独立性に気づき，この胃癌の成立機序解明を突破口に，分子機序に基づいた胃癌サブタイプの明確化を目指したいと考えて研究を開始した. そのなかで EBV 関連胃癌が広範な DNA メチル化を特徴としながら，MSI 胃癌の特徴である *MLH1* 遺伝子メチル化が起きていない事実，すなわち両者が相互排他的である事実に驚きを覚えた. そして，次世代シーケンサーの登場により，MSI 胃癌とともに EBV 関連胃癌が胃癌分子分類の 1 つの独立したサブタイプとして明確に位置づけられ，さらに PD-L1 の高発現を特徴とすることから，MSI 胃癌とともに免疫チェックポイント阻害剤の対象として注目されるに至っている. これまで EBV 関連胃癌に注力して研究してきたが，「がん治療個別化に対応した病理学」としての道に沿った研究対象であったと実感している.

　あらためて EBV 関連胃癌のほか，EBV が関与している腫瘍を見直すと，EBV が多種類の細胞種の発がんに関与し，細胞種ごとに異なる細胞内の仕組みを利用していることに EBV の巧みな戦略，「したたかさ」を感じてしまう. なかでも EBV 関連胃癌の研究では，適切な「感染-発がん」モデル動物がなく，リンパ球のように容易に採取し感染可能な対象がないことがハードルであった. このため，*in vivo* の状態を再現できる新たなモデルとして胃オルガノイドの利用が重要であり，シングルセルシーケンスの適切な応用など，ハードルは高いが新たな技術開発も有用であろう. 感染から DNA メチル化完成までに要する時間はわずか数週間であり，この素早いウイルスによる宿主エピジェネティクス改変メカニズムを解明することは，ヒト細胞遺伝子への外来侵襲に対する防御法を見出すことにつながる. また，ウイルス感染細胞が微小環境を制御する仕組みには，エクソソームによる樹状細胞制御が中心的役割をはたしており，この機構をブロックすることは，ウイルス関連腫瘍にとどまらない新たな癌治療法につながる可能性を想起させられる.

文 献

1) Fukayama M, et al.：Thirty years of Epstein-Barr virus-associated gastric carcinoma. Virchows Arch 2020；476：353-365.
2) Abe H, et al.：Virus-host interactions in carcinogenesis of Epstein-Barr virus -associated gastric carcinoma：potential roles of lost ARID1A expression in its early stage. PLoS One 2021；16：e0256440.
3) Nakayama A, et al.：Viral loads correlate with upregulation of PD-L1 and worse patient prognosis in Epstein-Barr virus-associated gastric carcinoma. PLoS One 2019；14：e0211358.
4) Wallascheck N, et al.：Ephrin receptor A2, the epithelial receptor for Epstein-Barr virus entry, is not available for efficient infection in human gastric organoids. PLoS Pathog 2020；17：e1009210.
5) Hinata M, et al.：exosomes of Epstein-Barr virus associated gastric carcinoma suppress dendritic cell maturation. Microorganisms 2020；8：1776.

EBウイルスの胃上皮細胞への感染と不死化

島根大学医学部微生物学講座
小野村大地, Afifah Fatimah, 吉山裕規

はじめに

　EBウイルス（Epstein-Barr virus：EBV）がどのようにして胃上皮細胞に感染するかについては，病理像として示されたものはほとんどない．しかし，*in vitro* のEBVの上皮細胞感染モデルを用いて，考察が行われている．既感染者の体内でEBVはBリンパ球に潜伏感染している．しかし，免疫監視機構の弱い局所に移行したBリンパ球が，しばしば溶解感染へ移行し，ウイルス産生が行われる．このような条件でEBVが胃粘膜上皮細胞に伝達され，感染すると思われる．EBV遺伝子の発現により，上皮細胞は増殖性やアポトーシス抵抗性を獲得し，そのうちの免疫学的排除を逃れた細胞が増殖すると考えられる．

　しかし，初代胃上皮培養細胞に，EBVを感染させて不死化する実験はまだ成功していない．代わりに，実験室で継代できる細胞株に，EBVを感染させると，細胞増殖速度亢進，アポトーシス抵抗性，癌幹細胞形質の発現などが認められる．

　EBV関連胃癌（EBV-associated gastric cancer：EBVaGC）の腫瘍細胞は，単一のEBV感染上皮細胞が増殖したものである[1]．腫瘍の形成は，EBV感染のみによって促進されるのか，あるいは，全癌病変状態の細胞にEBVが感染することで促進されるのかで意見が別れている．確かに，胃癌の遺伝子発現を調べて，EBVaGCは，他の胃癌グループとは異なるユニークな分子異常パターンをもつ集団である[2] ことより，EBV感染がEBVaGCの特徴的な病態の形成に働くことは明らかである．しかし，腫瘍形成過程については，エピジェネティクな解析などが行われているが，全体像の多くは不明である．

上皮細胞へのEBVの感染

　EBVのBリンパ球への感染は，ウイルス糖蛋白質gp350が高親和性レセプターCD21に結合し，gp42がhuman leukocyte antigen（HLA）class Ⅱ分子に結合して起こる．一方，上皮細胞への感染には低親和性補助レセプターが用いられるが，感染効率は著しく低い[3]（図1）．

　CD21非依存性の上皮細胞感染ルートは次のものがある．①ウイルスの外被糖蛋白gp350/220がCD35に結合する．②ウイルスの外被糖蛋白gH/gL複合体にインテグリン$\alpha V\beta_5$, $\alpha V\beta_6$, $\alpha V\beta_8$が相互作用してウイルス外被が上皮細胞膜と膜融合する．③EBVの溶解感染後期に発現するBMRF2膜蛋白質がa_3, a_5, aV, β_1のインテグリンに結合する．④複数のヘルペスウイルスのgH/gLとephrin receptor A2（EphA2）やnon-muscle myosin ⅡA（NMHC-ⅡA）は結合し，感染効率を高める．

　遺伝的な酵素欠損のために成熟したBリンパ球をもたない，X連鎖無γグロブリン血症の男児は，EBVに感染しない[4]．患児の上皮細胞に異常はないため，上皮細胞へのEBV感染は，Bリンパ球へのEBV感染のあとに起こると考えられる．すなわち，EBVに感染したBリンパ球がEBVを上皮細胞にまで運んで，cell to cell の様式で上皮細胞へEBVを受け渡していると考えられる．特にCD21非依存性の感染では，EBV粒子が直接上皮細胞に感染する効率に比べ，cell to cell 感染による上皮細胞への感染効率は1,000倍以上も高い[1]．炎症に伴うウイルス活性化とリンパ球浸潤を伴う場合は，Bリンパ球を介する上皮細胞への感染が促進すると推測される（図1）．

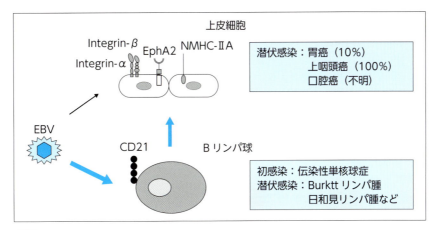

図1　EBV は B リンパ球と上皮細胞に感染し，腫瘍を形成する
EBV は B リンパ球には CD21 レセプターを介して感染し，上皮細胞には補助レセプターを介して感染する．しかし，上皮細胞への感染効率は，B リンパ球に較べ 100 万分の 1 程度と，大変低い．ところが，B リンパ球に EBV を運ばせ，細胞-細胞伝達させると，EBV の感染効率が 1,000 倍以上も高まる．□ 内には，細胞の種類で異なる EBV の感染状態と疾患名を記した

EBV 陽性胃上皮細胞

　EBVaGC は胃癌全体の 1 割程度を占め，すべての腫瘍細胞に EBV が感染している．しかし，胃癌組織から樹立された株化細胞は，ほぼ，EBV 陰性である．EBVaGC の腫瘍細胞中の EBV ゲノムは宿主染色体に組み込まれないプラスミド状のエピソームとして存在している．ところが，*in vitro* において，ウイルスの存在は，細胞増殖に有利に働かないようである．むしろ，エピソームの保持に余計なエネルギーを使わないほうが，*in vitro* の細胞増殖に都合がよいと思われる．あるいは，microRNA（miRNA）などのウイルス遺伝子の発現の意義は，生体の免疫機構による腫瘍細胞の排除機構からの逃避なのかもしれない．実際，EBVaGC から樹立された EBV 陽性の KT 細胞はマウスへの移植のみによって継代可能で，*in vitro* では増殖できない．EBVaGC から樹立され，*in vitro* で継代可能な細胞株は，SNU-719，YCCEL1，NCC-24 くらいと少ない．これらは，EBV エピソームの存在が細胞増殖に不可欠な，特殊な細胞と思われる．hydroxyurea や EBV-determined nuclear antigen 1（EBNA1）の small interfering RNA（siRNA）を用いても，SNU-719 細胞から EBV エピソームを脱落させることはできなかった[5]．

組換えウイルスを用いた EBV 陽性胃上皮細胞の作成

　そこで，薬剤耐性遺伝子を組み込んだ組換え EBV を胃上皮細胞へ感染させ，薬剤選択を行うことで，EBV に感染した胃上皮細胞のみの培養が可能になった（図 2）[6]．このようにして樹立された陽性細胞を陰性細胞と比較することで，EBV 感染による上皮細胞の腫瘍化分子機構が解明可能になり，EBV 感染が胃上皮細胞の増殖を著しく促進することが明らかになった[7]．

　これらの EBV を感染させた胃上皮細胞も，*in vivo* の EBVaGC と同じ，EBNA1 と latent membrane protein 2A（LMP2A）を発現する I 型の潜伏感染様式を示す．EBNA1 の腫瘍化活性は，p53 のユビキチン化の促進による不安定化，transforming glowth factor（TGF）-β シグナルの抑制，抗アポトーシス蛋白 survivin の転写促進などがある．一方，LMP2A は B 細胞レセプター（B cell receptor：BCR）刺激と同様の phosphatidylinositol-3 kinase（PI3K）/Akt シグナルを活性化し survivin の発現を高めアポトーシ

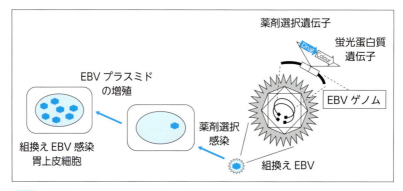

図2　組換え EBV 感染胃上皮細胞の分離
EBV の遺伝子のうち，ウイルス産生やウイルスの感染性に影響しない箇所に，遺伝子組換えの手法を用いて，薬剤耐性遺伝子や蛍光蛋白質遺伝子を，ウイルスゲノムに組み込む．組換えウイルスを細胞に感染させ，薬剤選択することで非感染細胞を含まない組換えウイルス感染細胞のみを分離できる．組換えウイルス感染細胞を，薬剤存在下で培養すると感染細胞核内のウイルスプラスミドコピー数が一定数まで増加する
〔文献6より引用改変〕

スに抵抗する．また，DNA メチル化酵素を誘導し，感染細胞にエピジェネティクな変化をもたらす．また，BamHI A rightward frame 1（BARF1）は，EBV 関連上皮性腫瘍と上咽頭癌の組織で，潜伏感染遺伝子として強く発現する．BARF1 を恒常的に発現する組換え EBV に感染した上咽頭癌由来細胞はアポトーシス抵抗性を示す[8]．

これら潜伏感染Ⅰ型で発現する EBV 蛋白の腫瘍化活性に加えて，蛋白に翻訳されない non-coding RNA〔miRNAs，EBV-encoded small RNAs（EBERs）〕の働きが注目されている（p.95「EB ウイルス感染とマイクロ RNA」参照）．

EBV 関連胃癌のはじまり

1. 炎症と発癌

EBVaGC 患者の生検組織を用いた研究で，EBV が検出されるのは腫瘍細胞のみであり，前癌状態とされる腸上皮化生や異形成粘膜上皮から EBV は検出されなかった[9]．現在のところ，EBV が胃の正常上皮細胞に感染して腫瘍化するのではなく，ある程度の腫瘍性形質をもった細胞に EBV が感染すると胃癌になると考えられている[10]．

一方，EBVaGC 患者の血清中には，ウイルスの早期抗原やカプシドに対する，early

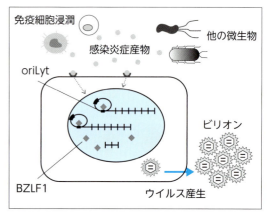

図3　感染炎症産物による EBV 産生（溶解感染）誘導
EBV の潜伏持続感染細胞に，感染や炎症に伴い微生物や免疫細胞が産生する物質が結合すると，細胞内にシグナルが伝達され，EBV の BZLF1 遺伝子の転写が促進される．BZLF1 蛋白はウイルスの感染を潜伏感染から溶解感染に転換する転写因子で，oriLyt プロモーターを活性化し，大量のウイルスを産生させる
〔文献11より引用改変〕

antigen（EA）-IgG 抗体や virus capsid antigen（VCA）-IgG 抗体が上昇しており，EBVaGC 形成の早期段階で EBV の増殖活性化が起こっていることがわかる．また，EBVaGC の発生頻度は全世界で 10％程度であるが，胃の吻合手術を行ったあとに発生する胃癌では 3 倍（30％）も発生頻度が上昇する[1]．すなわち，炎症や自然免疫機構の活性化は EBV の活性化を促す（図3）[11]．

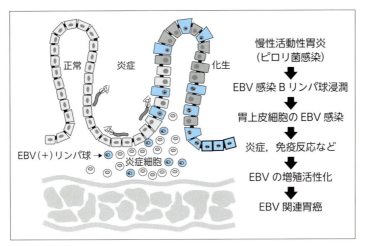

図4 EBVaGC の形成におけるピロリ菌と EBV の相互作用仮説
ピロリ菌の接触は胃上皮細胞における EBV 感染を促進する
〔文献 13 より引用改変〕

2. ピロリ菌感染と EBVaGC

上記の考えに従い，われわれはピロリ菌による胃炎の程度と胃における EBV の活性化の関連を調べた．軽度，中等度，高度の，3つの段階ごとに慢性萎縮性胃炎の胃生検標本を採取し，DNA を抽出し，定量的 PCR 法を行い，EBV 遺伝子のコピー数を組織学的重症度ごとに調べた[12]．EBV 遺伝子のコピーが 900 を超える患者は，中等度の萎縮性胃炎の患者に多く認められた．すなわち，ピロリ菌による組織学的炎症が最も強い中等度の慢性萎縮性胃炎において，EBV が高頻度に活性化していた．さらに，ピロリ菌による自然免疫シグナルが胃上皮細胞で EBV コレセプターの発現を増強し，胃上皮細胞への EBV 感染頻度を高めることもわかった（図4）[13]．

EBV 感染細胞の腫瘍化のメカニズム

現在のところ，初代胃上皮培養細胞に EBV を感染させることも，さらに不死化させることも困難である．一方で，EBV 感染胃上皮細胞を用いて，EBV の潜伏感染遺伝子の腫瘍形成機構が明らかになってきた．

1. EBV のコードする非翻訳性 RNA

EBV ゲノムは2か所に miRNA の集積があ

る．4個の BamHI H rightward reading frame 1（BHRF1）miRNAs と 40 個の BART miRNAs である．BHRF1 miRNA の上皮細胞での発現は低い[14] が，BamHI A rightward transcripts（BART）miRNAs は潜伏感染でよく発現し，腫瘍の形成に重要な役割をはたす（p.95「EB ウイルス感染とマイクロ RNA」参照）．

2. EBV 感染上皮細胞のエピジェネティックな遺伝子発現変化

EBVaGC ではメチル化による遺伝子発現修飾が高頻度に認められる．癌抑制遺伝子では p14，p16，p73，PTEN，APC，RASSF1A，CXXC4 などが，そして，細胞浸潤に重要な分子として は thrombospondin 1（THBS1），E-cadherin（CDH1），tissue inhibitor of metalloproteinases 2（TIMP2）などが，プロモーター領域のメチル化などによって，発現が低下しており，発癌過程への関与が考えられる[15]（p.74「EB ウイルス関連胃癌と宿主細胞ゲノムメチル化」参照）．

3. EBV 感染による上皮細胞の癌化の実験モデル

EBV の潜伏持続感染細胞で転写されるウイルス遺伝子産物が感染細胞をアポトーシス抵抗性にする．EBV 遺伝子産物は，また，感染細胞

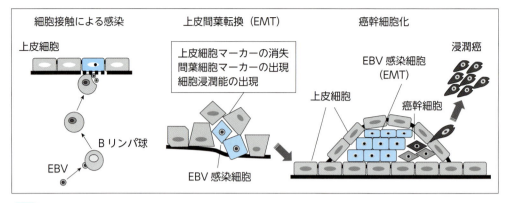

図5　EBVaGC の形成と進展のモデル

炎症などで活性化した EBV 感染 B リンパ球の接触により，胃上皮細胞に EBV は感染する．EBV に感染した上皮細胞は，発現する EBV 遺伝子の働きで上皮細胞形質を失い，間葉細胞形質を獲得する．接着結合や密着結合を形成できない細胞は，移動性や細胞浸潤性を示す初期の腫瘍細胞になる．これを上皮間葉転換（EMT）という．EBV の長期持続感染により，細胞の遺伝子異常が蓄積し，細胞の腫瘍化が進行し，その経緯において浸潤転移性の強い癌幹細胞が出現するのだろう

の遺伝子に変異を蓄積させる．細胞形質の変化は，EBV の遺伝子発現にさらに影響し，細胞間コミュニケーションも変化する．それは，EBV 感染上皮細胞と免疫細胞のクロストークであったり[16]，上皮間葉転換（epithelial-mesenchymal transformation：EMT）であったりする[17]．すなわち，EBV の持続感染を契機とする宿主細胞のシグナル伝達の変化や宿主免疫反応の変化が，互いに影響して腫瘍化が進む[18]（図5）．

おわりに

EBER，miRNA や long non-coding RNA（lncRNA）の研究進展に伴い，EBV の潜伏感染細胞におけるこれらの分子の働きが解明されつつある．また，上咽頭癌からは腫瘍原性の高い B81 EBV 株が分離されたが，胃癌に特徴的な EBV 株は，まだ分離されない．

EBVaGC に多い宿主遺伝子変異（*PIK3CA*，*ARID1A*，*PDL1*，*PDL2* など）[2]は疾患の組織学的特徴や経過，治療反応性などに影響していると考えられる．先行感染などの環境因子の影響が，根底にあって EBV による腫瘍化が進むと考えられるが，EBVaGC の特徴を示す分子基盤は，解明の途上である．

文献

1) Iizasa H, et al. : Epstein-Barr Virus（EBV）-associated gastric carcinoma. Viruses 2012；4：3420-3439.

2) Cancer Genome Atlas Research Network：Comprehensive molecular characterization of gastric adenocarcinoma. Nature 2014；513：202-209.

3) Rani A, et al. : Potential entry receptors for human γ-herpesvirus into epithelial cells : A plausible therapeutic target for viral infections. Tumour Virus Res 2021；12：200227.

4) Faulkner GC, et al. : X-Linked agammaglobulinemia patients are not infected with Epstein-Barr virus : implications for the biology of the virus. J Virol 1999；73：1555-1564.

5) Oh ST, et al. : Maintenance of the viral episome is essential for the cell survival of an Epstein-Barr virus positive gastric carcinoma cell line. Arch Pharm Res 2009；32：729-736.

6) Yoshiyama H, et al. : Epstein-Barr virus infection of human gastric carcinoma cells : implication of the existence of a new virus receptor different from CD21. J Virol 1997；71：5688-5691.

7) Nishikawa J, et al. : Epstein-Barr virus promotes epithelial cell growth in the absence of EBNA2 and LMP1 expression. J Virol 1999；73：1286-1292.

8) Seto E, et al. : Epstein-Barr virus（EBV）-encoded BARF1 gene is expressed in nasopharyngeal carcinoma and EBV-associated gastric carcinoma

tissues in the absence of lytic gene expression. J Med Virol. 2005；76：82-88.

9）Truong CD, et al.：Characteristics of Epstein-Barr virus-associated gastric cancer：a study of 235 cases at a comprehensive cancer center in U. S. A. J Exp Clin Cancer Res 2009；28：14.

10）Wallaschek N, et al.：Ephrin receptor A2, the epithelial receptor for Epstein-Barr virus entry, is not available for efficient infection in human gastric organoids. PLoS Pathog 2021；17：e1009210.

11）Iizasa H, et al.：Dysbiotic infection in the stomach. World J Gastroenterol 2015；21：11450-11457.

12）Kartika A V, et al.：Application of biopsy samples used for *Helicobacter pylori* urease test to predict Epstein-Barr virus-associated cancer. Microorganisms 2020；8：923.

13）Fekadu S, et al.：Gastric epithelial attachment of Helicobacter pylori induces EphA2 and NMHC-IIA receptors for Epstein-Barr virus. Cancer Sci 2021；112：4799-4811.

14）Shinozaki-Ushiku A, et al.：Profiling of virus-encoded microRNAs in Epstein-Barr virus-associated gastric carcinoma and their roles in gastric carcinogenesis. J Virol 2015；89：5581-5591.

15）Chang MS, et al.：CpG island methylation status in gastric carcinoma with and without infection of Epstein-Barr virus. Clin Cancer Res 2006；12：2995-3002.

16）Zhang G, et al.：Enhanced IL-6/IL-6 R signaling promotes growth and malignant properties in EBV-infected premalignant and cancerous nasopharyngeal epithelial cells. PLoS One 2013；8：e62284.

17）Sides MD, et al.：The Epstein-Barr virus latent membrane protein 1 and transforming growth factor-β1 synergistically induce epithelial-mesenchymal transition in lung epithelial cells. Am J Respir Cell Mol Biol 2011；44：852-862.

18）Tsao SW, et al.：The role of Epstein-Barr virus in epithelial malignancies. J Pathol 2015；235：323-333.

3 EBウイルス関連胃癌と宿主細胞ゲノムメチル化

千葉大学医学部附属病院病理部・病理診断科[*1]，千葉大学大学院医学研究院分子腫瘍学[*2]
松坂恵介[*1]，金田篤志[*2]

はじめに

胃癌は様々な遺伝子異常の蓄積により発生すると考えられている．遺伝子異常はゲノム異常とエピゲノム異常に分けて考えると理解しやすい．ゲノム異常はゲノムDNAの塩基配列の変化を伴う，遺伝子変異や遺伝子増幅などの異常である．一方，エピゲノム異常はDNAメチル化やヒストン修飾に代表される，ゲノムDNA配列の変化を伴わずに発現を調節するDNAの修飾因子の変化を伴う異常である．近年，ゲノム網羅的な解析により分子基盤に基づいた層別化がなされ，Epstein-Barrウイルス（Epstein-Barr virus：EBV）関連胃癌（EBV-associated gastric cancer：EBVaGC）は超高DNAメチル化形質に特徴づけられる独立した分子サブタイプとして，分子生物学的な視点からも揺るぎない地位を獲得した．本項ではEBVaGCのエピゲノム異常のなかでも特に宿主細胞のゲノムメチル化に着目して概説したい．

DNAメチル化とは

エピジェネティクスは「DNA塩基配列の変化を伴わずに細胞分裂後も伝達・維持される遺伝子発現制御機構」を研究対象とする学問領域である．特にDNAメチル化は臨床検体でも定量的に解析しやすいという利点があり，これまでもさかんに研究されてきた．ヒトにおけるDNAメチル化は，シトシン（C）-リン酸基（p）-グアニン（G）からなるCpGジヌクレオチド配列を標的に，シトシンにおけるピリミジン環5位炭素原子にメチル基が共有結合することを指す．DNAメチル化は生理的に重要な役割をはたしており，遺伝子発現の調節や染色体の安定化，ゲノムインプリンティング，X染色体の不活性化などがあげられる[1]．

一方，がんにおけるDNAメチル化異常は2つに大別される．1つは歴史的に先に報告されたゲノムワイドな低メチル化で，ゲノム不安定性に関与している．もう1つはプロモーター領域における異常高DNAメチル化である．ゲノム全体でのCpG配列の密度は，ランダムに期待される分布と比較すると有意に低く，さらに不均一な分布を呈している．これはゲノム全域に分布していたと考えられるCpG配列のメチル化シトシンが，進化の過程で脱アミノ化を経てチミンへの変異を伴ってきた結果と考えられている．一方，プロモーター領域にはCpG配列が密に分布したCpGアイランドとよばれる領域が存在する．非メチル化シトシンは変異に抵抗性であるため，CpGアイランドは進化の過程で遺伝子発現可能な非メチル化の状態を維持してきたことを示唆する．すなわち腫瘍において，CpGアイランドにDNAメチル化が誘導されるという現象は，それ自体が異常な状態を意味する．プロモーター領域に異常高DNAメチル化が加わる結果，遺伝子発現が恒常的・不可逆的に非活性の状態に陥る．これがたとえばがん抑制遺伝子に及んだ場合，発がんや進行に寄与すると考えられる．

胃癌臨床検体におけるDNAメチル化形質（エピジェノタイプ）

がんにおけるDNAメチル化解析は大腸癌が先導してきた．大腸癌にて見出されたCpGアイランドに異常高DNAメチル化の亢進したCpG island methylator phenotype（CIMP）とよばれる高DNAメチル化形質は[2]，ミスマッチ修復

遺伝子 MLH1 のプロモーター領域における異常高 DNA メチル化によるサイレンシングと，その結果もたらされるマイクロサテライト不安定性（microsatellite instability：MSI）との相関が報告された．また，胃癌においても同様に CIMP 陽性の存在と[3]，MLH1 のメチル化と MSI との関連が確認された[4]．

当時の解析は特定のがん関連遺伝子に限られていたが，2002 年に Kaneda らにより methylation-sensitive representational difference analysis（MS-RDA）法を用いた胃癌における DNA メチル化の網羅的解析が報告された[5]．胃癌で共通して異常高 DNA メチル化を受ける遺伝子プロモーター領域 CpG アイランドを新たに同定し，実際にそれらの遺伝子が発現抑制を受けていた．また胃癌には遺伝子プロモーター領域の異常メチル化が高頻度にみられる高メチル化群と，低頻度にしかみられない低メチル化群の，少なくとも 2 群の DNA メチル化形質（エピジェノタイプ）が存在することが明らかにされた．

EBV 関連胃癌における第 3 のエピジェノタイプ

EBVaGC のプロモーター領域における異常高 DNA メチル化が亢進していることは 2010 年頃までに報告されはじめていたが[6-8]，いずれも既知のがん関連遺伝子での解析にとどまり，ゲノム全体での DNA メチル化形質は不明であった．そこで，2011 年に Matsusaka らは Illumina 社のビーズアレイ Infinium を用いた胃癌臨床検体における網羅的 DNA メチル化解析を報告した[9]．二方向性階層的クラスター解析により（図 1），胃癌症例には従来同定していた低メチル化群，高メチル化群に加えて，極めて異常メチル化の亢進した超高メチル化群とよぶべき第 3 のサブタイプが見出された．そして，超高メチル化群は EBVaGC と完全に一致することが確認されたのである．この EBVaGC を特徴づける超高 DNA メチル化形質は 2014 年に The Cancer Genome Atlas（TCGA）においても EBV-CIMP として再確認された[10]．TCGA の報告では胃癌は分子基盤に基づき 4 つのサブタイプに分けられることが示されたが，EBVaGC はそのサブタイプ決定のフローチャートでも最初に分類されており，高い再現性を以て際立った一群であることが認知されるに至った．

EBV 関連胃癌における DNA メチル化形質の特徴

二方向性階層的クラスター解析は，遺伝子方向では EBVaGC の特徴的な DNA メチル化形質を明らかにしてくれた（図 1）．その特徴は大きく 3 つあげられる．

① EBVaGC は通常型の胃癌で標的となりうる遺伝子の「ほとんど」に異常高 DNA メチル化が加わっている（敢えて「ほとんど」とした理由は 3 にて後述する）．すなわち，胃の正常粘膜では非メチル化状態で，低・高・超高メチル化群の胃癌に共通して異常高 DNA メチル化を伴った「胃癌共通メチル化遺伝子」や，正常や低メチル化群ではメチル化がないが高・超高メチル化群で異常メチル化のある「高メチル化遺伝子」は大部分がメチル化される．こうした通常の胃癌でメチル化されうる遺伝子には胚性幹細胞におけるポリコーム抑制複合体（polycomb repressive complex：PRC）の標的遺伝子が有意に多く含まれていた（図 1）[9]．PRC は発生や分化の過程で遺伝子発現を抑制する因子として重要な役割をはたすが，一般的にがんにおける異常メチル化では胚性幹細胞における PRC 標的遺伝子が標的になる傾向があることが報告されており[11]，胃癌でも同様の傾向を示すことが示されたことになる．

② 一方，正常胃粘膜や低・高メチル化胃癌では非メチル化状態で，EBVaGC でのみ異常高 DNA メチル化の標的となる「EBVaGC 特異的メチル化遺伝子」は，PRC 標的「以外」の遺伝子を多く含んでいた．つまり，EBVaGC の過剰な DNA メチル化は，メチル化の標的となりやすい PRC 標的遺伝子は多くがメチル化を受けたうえで，通常はメチル化の標的となりにくい PRC 非標的遺伝子にまで広

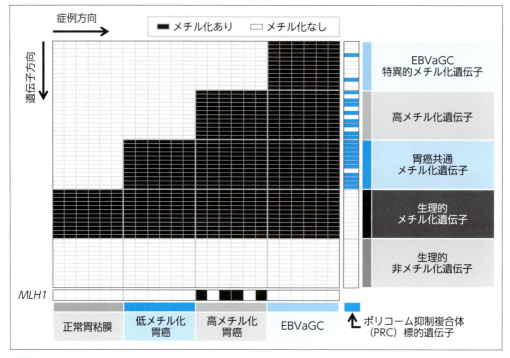

図1　胃癌における DNA メチル化二方向性階層的クラスター解析の模式図

縦軸に遺伝子，横軸に症例を置いた二方向性階層的クラスター解析のヒートマップの模式図．胃癌は低メチル化群・高メチル化群・超高メチル化群の3群に分かれ，EBVaGC は例外なく超高メチル化群に一致する．一方，EBVaGC は *MLH1* にメチル化を伴うことはない．遺伝子方向では胃癌共通メチル化遺伝子と高メチル化遺伝子は胚性幹細胞におけるポリコーム抑制複合体の標的遺伝子を多く含むのに対して，EBVaGC に特異的にメチル化される遺伝子は通常ではメチル化の標的となりにくいポリコーム抑制複合体の非標的遺伝子を多く含む

〔文献 9，10 より作成〕

範囲に波及することで，ゲノムワイドな超高 DNA メチル化形質を呈することが明らかとなった[9]．こうした EBVaGC における超高 DNA メチル化形質は，あらゆる癌腫のなかで最も亢進している，と TCGA の報告でも言及されている[10]．

③過剰に亢進した異常高 DNA メチル化に注意が向かいがちだが，他のサブグループではメチル化されることがあるにもかかわらず，EBVaGC ではメチル化されない「例外的」な遺伝子も存在する．その1つが *MLH1* である（図1）[9,10]．孤発性の MSI 胃癌では *MLH1* のプロモーター領域に異常高 DNA メチル化を伴うことで発現抑制されるが，EBVaGC と *MLH1* サイレンシングを伴った MSI 形質は排他的な関係にある．

In vitro の EBV 感染実験系による DNA メチル化誘導パターンの解析

EBVaGC と超高メチル化形質との完全な一致から，EBV 感染が過剰な DNA メチル化形質の原因となりうる可能性が示唆された．実際，低メチル化胃癌細胞株 MKN7 に Akata 細胞を用いて *in vitro* で遺伝子組み換え EBV を感染させる実験系で DNA メチル化の変化を解析したところ，EBV 感染によりゲノムワイドな新規 DNA メチル化の誘導が起き，EBV 感染単独の因子で EBV 陽性エピジェノタイプが獲得されることが示された[9]．

さらに，胎児非腫瘍性胃上皮に由来する不死化細胞株 GES1 に対して Akata 細胞を用いた遺伝子組み換え EBV 感染実験を行うことでも，EBVaGC と同様の超高 DNA メチル化が再現可

能であることが示された[12]．EBV感染によってEBVaGC特異的メチル化遺伝子だけでなく，胃癌共通メチル化遺伝子や高メチル化遺伝子にもメチル化が誘導されることが明らかとなった[12]．すなわち，EBV感染単独因子で胃癌のDNAメチル化形質獲得に十分であることが示された．

これまでプロモーター領域にどのようにDNAメチル化が誘導されるかは，効果的な *in vitro* のDNAメチル化誘導実験系がなかったため明らかとなっていなかったが，Akataシステムによって DNAメチル化の誘導パターンを時間的・空間的に解析することが可能となった．時間的には感染後数週間の期間で超高DNAメチル化形質が獲得されることが明らかとなった．これは症例報告でも短期間でEBVaGCが発症することを支持する[13]．一方，空間的にはCpGアイランド（島）の辺縁にはショア（岸）やシェルフ（棚）とよばれるCpG配列の密度が段階的に疎に分布する領域が広がっており，こうした辺縁から中心に向かって新規DNAメチル化が誘導されることが示された．

おわりに

EBVaGCのDNAメチル化は亢進しているが，他の胃癌と詳細に比較してDNAメチル化の蓄積パターンを明らかにする必要があった．また，これだけ多くの遺伝子が異常メチル化されているにもかかわらず，*MLH1* 遺伝子のプロモーター領域には頑なにメチル化を受けることがない点も興味深い．DNAメチル化の誘導機構などいまだ不明な点は多く，本項では触れていないが，ウイルスゲノムのDNAメチル化をはじめとするエピゲノム修飾との関連も含めて，今後の解析が期待される．

文献

1) Li E, et al. : Chromatin modification and epigenetic reprogramming in mammalian development. Nat Rev Genet 2002 ; 3 : 662-673.

2) Toyota M, et al. : CpG island methylator phenotype in colorectal cancer. Proc Natl Acad Sci USA 1999 ; 96 : 8681-8686.

3) Toyota M, et al. : Aberrant methylation in gastric cancer associated with the CpG island methylator phenotype. Cancer Res 1999 ; 59 : 5438-5442.

4) Fleisher AS, et al. : Hypermethylation of the hMLH1 gene promoter in human gastric cancers with microsatellite instability. Cancer Res 1999 ; 59 : 1090-1095.

5) Kaneda A, et al. : Identification of silencing of nine genes in human gastric cancers. Cancer Res 2002 ; 62 : 6645-6650.

6) Kang GH, et al. : Epstein-barr virus-positive gastric carcinoma demonstrates frequent aberrant methylation of multiple genes and constitutes CpG island methylator phenotype-positive gastric carcinoma. Am J Pathol 2002 ; 160 : 787-794.

7) Chang MS, et al. : CpG island methylation status in gastric carcinoma with and without infection of Epstein-Barr virus. Clin Cancer Res 2006 ; 12 : 2995-3002.

8) Ushiku T, et al. : p73 gene promoter methylation in Epstein-Barr virus-associated gastric carcinoma. Int J Cancer 2007 ; 120 : 60-66.

9) Matsusaka K, et al. : Classification of Epstein-Barr virus-positive gastric cancers by definition of DNA methylation epigenotypes. Cancer Res 2011 ; 71 : 7187-7197.

10) Cancer Genome Atlas Research Network : Comprehensive molecular characterization of gastric adenocarcinoma. Nature 2014 ; 513 : 202-209.

11) Widschwendter M, et al. : Epigenetic stem cell signature in cancer. Nat Genet 2007 ; 39 : 157-158.

12) Matsusaka K, et al. : Epstein-Barr virus infection induces genome-wide de novo DNA methylation in non-neoplastic gastric epithelial cells. J Pathol 2017 ; 242 : 391-399.

13) Au WY, et al. : Epstein-barr virus-related gastric adenocarcinoma : an early secondary cancer post hemopoietic stem cell transplantation. Gastroenterology 2005 ; 129 : 2058-2063.

III

ヒト腫瘍ウイルスとしての
EB ウイルス

1 全身における EB ウイルス関連腫瘍概論

旭川医科大学耳鼻咽喉科・頭頸部外科
高原　幹

はじめに

Epstein-Barr ウイルス（Epstein-Barr virus：EBV）は，1964 年に Barkitt リンパ腫（Burkitt lymphoma：BL）[1] から分離されたウイルスであり，悪性腫瘍形成にかかわるがんウイルスである[1]．その後，Hodgkin リンパ腫（Hodgkin lymphoma：HL）[2]，鼻性 NK/T 細胞リンパ腫（nasal NK/T-cell lymphoma：NNKTCL）[3]，上咽頭癌（nasopharyngeal carcinoma：NPC）[1]，胃癌，慢性活動性 EBV 感染症（chronic active EBV infection：CAEBV）[4]，移植後リンパ増殖性疾患（post-transplant lymphoproliferative disorder：PTLD）[5] においてもその関与が明らかとなり，これらの一群は EBV 関連悪性腫瘍とよばれる．EBV はおもに B 細胞に感染するが T 細胞，NK 細胞，上皮細胞にも感染しうることが，上記の多彩な EBV 関連悪性腫瘍からも理解できる[5]．本項では，胃癌を除くそれらの腫瘍に関して，われわれが主催した，第 19 回国際 EBV シンポジウム（The 19th International Symposium on Epstein-Barr Virus and associated diseases：EBV2020，2021 年 7 月 29 日〜30 日：ハイブリッド開催，8 月 2 日〜15 日：オンデマンド配信）で得られた知見も加え概説する．

Burkitt リンパ腫（BL）

BL の好発地域は中央アフリカであり，それらの地域集積性のある BL は風土病型とよばれ，下顎または顔面骨の腫大として現れることが多い．これらの腫瘍細胞はほぼ 100％で EBV が陽性となる．一方，全世界にも孤発性に発生し，散発型 BL とよばれる．散発型 BL では腹腔，頭頸部の病変が多く，EBV の陽性率は 15〜80％と幅があり，北アフリカや南アメリカでは高率，北アメリカやヨーロッパでは低率である．また，免疫不全型 BL は human immunodeficiency virus（HIV）感染患者に多く発症し，EBV の陽性率は 30〜40％である．

BL では，細胞増殖やアポトーシスを制御するがん遺伝子 *c-myc* が遺伝子転座により免疫グロブリン遺伝子の近傍に移動し，活性化している．これは EBV 感染の有無にかかわらず認められ，本疾患の病態を決めている．今回の EBV2020 では腫瘍細胞における葉酸代謝や鉄代謝などのメタボリズムに EBV が関与することが報告されている．

Hodgkin リンパ腫（HL）

HL は種々の全身症状とリンパ節腫脹をきたす悪性リンパ腫であり，反応性背景に Reed-Stemberg 細胞（RS 細胞）とよばれる特徴的な多核巨細胞が病変部に存在することを除けば，多彩な病態や組織像を呈する疾患群[2] である．地域差も認められ，ヨーロッパでは全リンパ腫の約 30％を占めるが，わが国では 4％程度と少ない．同様に EBV の陽性率も地域差があり，先進国ではわが国も含め 30〜50％であるのに対し，発展途上国ではほぼ 100％である．

HL では，EBV の有無にかかわらず，RS 細胞で nuclear factor kappa-B（NF-κB）が恒常的に活性化しアポトーシス抵抗性に働いている．したがって，II 型潜伏感染を示す本腫瘍では，EBV 陽性の症例では latent membrane protein 1（LMP1）の発現が認められる場合もあり，LMP1 のおもな働きである NF-κB の活性化作用がその成立に重要な役割をはたしていると考えられている．

鼻性 NK/T 細胞リンパ腫（NNKTCL）

NNKTCL は，おもに鼻腔に初発し，顔面正中部に沿って進行する破壊性の壊死性肉芽腫性病変を主体とする悪性リンパ腫である[3]．極東アジア（中国，台湾，韓国，日本），ペルーに好発し，B 細胞以外の EBV 関連悪性リンパ腫として最初にわが国より報告された[6]．肺，皮膚，消化管などへの他臓器への浸潤や血球貪食性リンパ組織球症が高頻度に出現し，予後は不良である．ほぼすべての腫瘍細胞に EBV が感染し，病理診断において EBV-encoded small RNA（EBER）1 の *in situ* hybridization（ISH）は炎症細胞や壊死が混在する生検組織上，その意義は大きい．また，血清中の EBV-DNA 量の測定も診断や治療後の病勢モニタリングに有用であることが報告されている[7]．

本腫瘍は HL と同様に II 型潜伏感染を示し，LMP1 を介して様々な増殖因子や免疫抑制因子が活性化することが報告されている[8]．また，その結果から CCR4 や programmed cell death 1-ligand 1（PD-L1）などのいくつかの治療標的となりうる表面抗原等も同定されており，今後の治療応用が期待できる．今回の EBV2020 においても，BCL-2 family 阻害物質である BH3-mimetic が NNKTCL 細胞株にアポトーシスを誘導し，新たな治療薬の候補となりうることが示された．また，臨床的検討にて，62 例の NNKTCL の臨床像が示され，診断には CD56 の免疫染色と EBER の ISH が必須であること，腫瘍マーカーとして血清 EBV-DNA 値が有用であること，18 症例に浅側頭動脈からの動注化学放射線治療を行い，16 例が現在無病生存中であることが報告された[8]．

上咽頭癌（NPC）

上咽頭は孔鼻孔から軟口蓋と高さまでの咽頭に位置し，その部位に発生する悪性腫瘍を NPC とよぶ[1]．罹患率に地域差があり，中国南部で特に頻度が高く，アラスカの先住民，北アフリカのいくつかの地域でも好発する．わが国での発生は比較的まれで，年間 500 人程度と推定される．この地域特異性から本疾患の発症には遺伝的感受性と環境因子が関与するとされる．

症状は病変部局所の症状で受診する症例は少なく，多くは頸部リンパ節腫脹が初発症状となる．組織学的に角化型（WHO type-I），非角化型 type-II（WHO type-II/III）に分類され，このうち非角化型が EBV 感染を伴う．中国南部では NPC のほぼ全例が非角化型であるのに対し，北アメリカや日本では 20～25％は角化型であり，EBV 感染を伴わない．

EBV が腫瘍にどのように関与するかに関してはまだ不明な部分が多い．ただし，本腫瘍も II 型潜伏感染を示し，LMP1 が発現するため，不死化への強力なドライバー遺伝子として作用しうることが報告されている[9]．今回の EBV2020 では EBV 遺伝子解析によるわが国での NPC 株の特徴や，気液界面培養における偽重層上皮への EBV 感染，上咽頭癌組織における細胞集団の多様性，唾液による溶解感染への誘導，また溶解感染による EBV 感受性の増強などに関して興味深い報告がなされた．また，次世代シーケンサーによるクロマチン相互作用解析法により，EBV 遺伝子が直接宿主のヘテロクロマチンと相互作用し，エピジェネティックに宿主がん遺伝子の活性化を亢進することが示された．これは EBV 関連胃癌にて報告されていたが[10]，NPC においても同様であることが示唆された．

慢性活動性 EBV 感染症（CAEBV）

CAEBV は，EBV が T 細胞あるいは NK 細胞に潜伏感染し，クローナリティをもって増殖，臓器に浸潤する難治性疾患である[4]．臨床症状は臓器浸潤と高サイトカイン血症を背景に，伝染性単核球症に類似した症状である発熱，リンパ節腫脹，肝脾腫，発疹，汎血球減少などが遷延する．予後は概して不良で，無治療の場合には臓器合併症や NNKTCL などの悪性リンパ腫の発症などにより死に至ることが多い．

末梢血における EBV 感染細胞は 1/3 の症例では NK 細胞であり，2/3 は T 細胞である．これらの感染細胞が増殖，臓器浸潤するため本疾患は EB 関連 T/NK リンパ増殖性疾患

（EBV-associated T/NK cell lymphoproliferative disorders：EBV-T/NK-LPD）の1つである．また，これらの感染細胞が皮膚に浸潤する種痘様水疱症も EBV-T/NK-LPD に含まれる．感染細胞の起源により予後が異なることも報告されており，種痘様水疱症では感染細胞が γδT 細胞であれば予後良好であることが示されている[11]．

本疾患に関して EBV2020 では木村宏教授（名古屋大学）に keynote lecture 2 として「EBV in T/NK-cell lymphomagenesis」をご講演いただいた．NNKTCL に認められる遺伝子変異や欠損が CAEBV でも認められ，上記疾患は同様のスペクトラムをもつ腫瘍性疾患と位置づけられた．また，新井文子教授（聖マリアンナ医科大学）には，Morning Seminar として「The New Discoveries on CAEBV by the Japanese Researchers from their 15 Years of Study」をご講演いただいた．本疾患では化学療法は奏功しないことが多く，造血幹細胞移植が唯一の治療法であるが，本感染細胞は NF-κB と single transducer and activator of transcription 3（STAT3）が恒常的に活性化しており，その活性化の抑制が新たな治療の糸口となることをご報告いただいた．

移植後リンパ増殖性疾患（PTLD）

PTLD は造血幹細胞・固形臓器移植後の外因性免疫抑制状態で発症する B 細胞性のリンパ増殖症である．本疾患のほとんどが EBV 関連であり，造血幹細胞移植では，移植前後の高度な免疫抑制下でドナー由来の EBV 感染 B 細胞が増殖し，固形臓器移植後では長期の免疫抑制剤の使用によりレシピエント由来の EBV 感染 B 細胞が増殖して PTLD を発症する．PTLD では通常であれば強い免疫原性により宿主免疫により排除される EBV nuclear antigen（EBNA）2 などが発現しており，潜伏感染Ⅲ型の遺伝子発現パターンを示す．移植後の経時的な EBV-DNA モニタリングは PTLD の早期診断や病勢判断に有用であり，2018 年から移植後 3 か月以内は週に 1 回，移植後 1 年以内は月に 1 回の範囲で保険収載されている．EBV2020 では，移植後患者において PTLD を発症した患者

で血清可溶性 BamHI Z EBV replication activator（ZEBRA）値の上昇が認められ，その発症を予測できる可能性が示唆された．

おわりに

EBV 関連悪性腫瘍について EBV2020 で得られた知見も追加し概説した．各疾患の発症に EBV がどのように関わっているのかはまだ完全に明らかにはなっていないが，近年のシングルセル RNA シーケンシング（RNA-seq）や CRISPR-Cas9 遺伝子操作などの高度な実験技術にて，その全容が明らかになる日も遠くないと EBV2020 の報告を拝聴し実感した．

最後に，EBV2020 の事務局を担当した者として，International Scientific Advisory Committee や Local Organizing Committee の皆さま，演者，司会や座長の労を執っていただいた先生，そして，現地，あるいは web にて参加していただき，本学会を盛り上げていただいた参加者全員に厚く御礼申し上げる次第である．

文　献

1）茂木　愛，他：悪性腫瘍（Burkitt リンパ腫，上咽頭癌）．臨林と研究 2018；95：376-380.

2）三好寛明，他：WHO EBV 関連造血器腫瘍．臨林と研究 2018；95：175-182.

3）原渕保明：鼻性 NK/T 細胞リンパ腫の病態と臨床．耳鼻臨床 2000；93：341-352.

4）木村　宏：慢性活動性 EB ウイルス感染症．日造血細胞移植会誌 2021；10：87-93.

5）岩井誠子，他：EBV と悪性腫瘍．移植 2009；44：298-303.

6）Harabuchi Y, et al.：Epstein-Barr virus in nasal T-cell lymphomas in patients with lethal midline granuloma. Lancet 1990；335：128-130.

7）Ishii H, et al.：Clinical usefulness of serum EBV DNA levels of BamHI W and LMP1 for Nasal NK/T-cell lymphoma. J Med Virol 2007；79：562-572.

8）Takahara M, et al.：Extranodal NK/T-Cell Lymphoma, Nasal Type：Genetic, Biologic, and Clinical Aspects with a Central Focus on Epstein-Barr Virus Relation. Microorganisms 2021；9：1381.

9）吉崎智一：上咽頭癌と Epstein-Barr ウイルス：発癌

機構から臨床へ．口腔咽頭科 2018；31：183-186.

10）Okabe A, et al.：Cross-species chromatin interactions drive transcriptional rewiring in Epstein-Barr virus-positive gastric adenocarcinoma. Nat Genet 2020；52：919-930.

11）岩月啓氏：東アジアと中南米にみられる EB ウイルス関連 T/NK リンパ増殖異常症：種痘様水疱症と蚊刺過敏症を中心に．岡山医会誌 2018；130：123-128.

EBウイルス感染の基礎知識—代表的な細胞株とウイルス遺伝子発現様式—

東北医科薬科大学医学部
神田　輝

EBウイルスの感染対象細胞とその仕組み

Epstein-Barr ウイルス（Epstein-Barr virus：EBV）はガンマヘルペスウイルス亜科，*lymphocryptovirus* 属のウイルスで，リンパ球指向性に感染するウイルスである．多くの人は唾液を介して幼小児期に無症候性に感染する．感染性ウイルス粒子は，既感染者の咽頭口腔領域の上皮細胞から唾液中に排出され，被感染者の扁桃上皮細胞に直接，あるいは咽頭口腔領域のBリンパ球を介して感染する．初感染後，ウイルスは咽頭口腔の上皮・扁桃組織に終生持続感染する．また末梢血中のメモリーB細胞に潜伏感染する．EBVはヒトがんウイルスでもあり，潜伏感染細胞を母地としてB細胞系，上皮細胞系，T/NK細胞系の様々な腫瘍が発生する．また2022年になり，EBV感染と多発性硬化症の関連性を強く支持する論文が相次いで報告され注目を集めている[1]．

EBVの主たる感染標的はBリンパ球と上皮細胞である．実験室でEBVを末梢血Bリンパ球に感染させると，Bリンパ球は不死化してリンパ芽球様細胞株（lymphoblastoid cell line：LCL）となる．思春期においてEBVに初感染すると，時に伝染性単核球症を発症する．これは感染者の体内で芽球化・増殖する感染Bリンパ球に対する細胞性免疫の過剰応答による．

Bリンパ球への感染は，エンベロープ糖蛋白質gp350/220とBリンパ球表面に発現するレセプター分子CD21との結合による．同時にgH/gL/gp42複合体がコレセプターであるhuman leukocyte antigen（HLA）class Ⅱ分子と相互作用する．エンベロープ糖蛋白質であるgB（gp110）分子は膜融合を司る．一方，上皮細胞への感染メカニズムは多様である．咽頭口腔上皮細胞の一部にはCD21を介した感染，CD21陰性の上皮細胞へはインテグリンやEphrin receptor A2（EphA2）など別の分子を介した感染が考えられている．伝染性単核球症患者ではBリンパ球以外にT/NK細胞への感染も確認されているが，T/NK細胞への感染メカニズムは不明である．EBV関連T/NK細胞リンパ増殖性疾患の背景には，感染T/NK細胞を排除できないような，何らかの免疫不全があると考えられている．

EBVゲノムとウイルスサブタイプ

ウイルス粒子中のEBVゲノムは約172キロベースの二本鎖線状DNAである．ウイルス感染細胞内では環状化して，エピソーム状態で維持される．EBVゲノム上には約80個のウイルス蛋白質のopen reading frame（ORF）が存在する．加えてEBV encoded small RNA1（EBER1）・EBER2とよばれる2つの小RNA遺伝子があり，さらにウイルスゲノムの2か所に計44個のmicroRNA遺伝子が集まって存在している（図1）．

EBVゲノムは1型（type 1）と2型（type 2）の2つの型に分類される．1型ウイルスと2型ウイルスは，EBV nuclear antigen 2（EBNA2）遺伝子および3種類のEBNA3（3A, 3B, 3C）遺伝子（後述）の違いから区別される．最近，次世代シーケンサー技術の進展に伴い，EBV臨床株のウイルスゲノム塩基配列の決定が進み，世界におけるEBV株の地域差が明らかになってきた[2]．日本を含む多くの地域で数的に優位なのは1型ウイルスで，2型ウイルスはアフリカ・ニューギニア地域に多くみられる．1型ウイルスは2型ウイルス

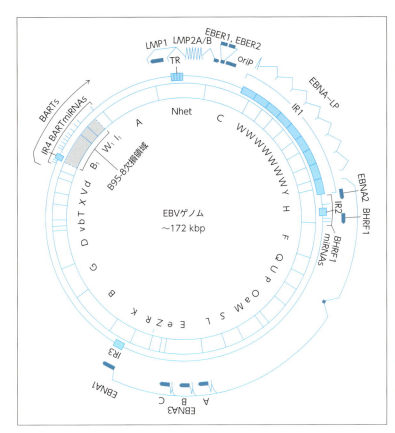

図1 EBVゲノム（感染細胞に存在するEBVプラスミド）の構造と潜伏感染遺伝子の発現

B95-8株のウイルスゲノム塩基配列（V01555）を基本として，その欠損部分をRaji株ウイルスの塩基配列（M35547）で補完したEBVゲノム標準塩基配列（EBV-wt，NC_007605.1，あるいはAJ507799.2）に基づいて作図した．B95-8の欠損部分を▨で，各潜伏感染遺伝子の場所を青矢印線で示す．ウイルスゲノムDNAのBamHI切断断片にはサイズ順にアルファベットで名づけられている．潜伏感染遺伝子以外の多くのORFは，BamHI断片のアルファベット名，向き（右向きR，または左向きL），その何番目かによって命名されている（例，BZLF1：BamHI Z leftward reading frame 1）

IR：internal repeats
TR：terminal repeats

よりも効率よくBリンパ球を不死化するが，この違いはEBNA2蛋白質の多型による．またウイルスゲノムの一部欠損がBurkittリンパ腫（Burkitt lymphoma：BL，後述）やT/NK細胞リンパ腫の発症に関与することが明らかになりつつある[3]．

代表的なEBV感染細胞株

表1に代表的なEBV感染細胞株をまとめて示す．B95-8細胞は米国の伝染性単核球症患者由来のウイルスをマーモセットのBリンパ球に感染させて樹立したLCLであり，1型ウイルスが感染している．マーモセット由来のLCLは，ヒト由来LCLとは異なり，自律的に感染性ウイルスを産生するという特徴があるが，その理由はわかっていない．B95-8株ウイルスは現在でもEBVの標準株として各種感染実験に使われているが，microRNAが集中するBART（BamHI A rightward transcripts）領域，約12キロベースを欠く欠損ウイルスである（図1）．

またいくつかのBL由来細胞株がウイルス産生細胞としてよく使われている．アフリカ熱帯地域の小児に好発する風土病性（endemic）BLのほとんどがEBV陽性である．また先進国でみられる散発性（sporadic）BLの一部もEBV陽性である．日本人BL由来Akata細胞は欠損のない1型ウイルスの感染細胞である．Akata細胞は，抗ヒトイムノグロブリンG（IgG）抗体によりウイルス産生感染（溶解感染）を簡単に誘導できること，また派生株としてEBVが脱落した「EBV陰性Akata細胞」が存在するという特徴がある．EBV陰性Akata細胞は，EBVを再感染させて細胞増殖への影響を調べたり，組換えウイルスの純化を行ったりといった実験に有用である．また抗IgG抗体処理したAkata細胞と感染対象の上皮細胞を数日間共培養して，その後，Akata細胞を可及的に除去することで，「cell to cell infection」で効率よく感染させることができる．

別の汎用BL由来EBV陽性細胞株として，

表 1　代表的な EBV 感染細胞株

細胞株 (Accession No.)	遺伝子型	潜伏感染様式	細胞株の由来	特記事項
B95-8 (V01555.2)	1	Ⅲ	マーモセットリンパ球由来 LCL	・BART 領域に欠損あり
Raji (KF717093.1)	1	Ⅲ	BL	・BamHI A 断片領域に欠損 ・ウイルス DNA 合成なし
Akata (KC207813.1)	1	Ⅰ	BL	・IgG 抗体によるウイルス産生 ・EBV が脱落した陰性細胞あり
P3HR-1	2	Wp 拘束型	BL 由来 Jijoye 細胞の派生株	・EBNA2 領域に欠損あり ・リンパ球不死化能を欠く
M81 (KF373730.1)	1	Ⅲ	上咽頭癌由来 EBV で樹立した LCL	・上皮細胞への感染効率が高い ・LCL で自律的にウイルスを産生しやすい
SNU-719 (AP015015.1)	1	Ⅰ	EBV 関連胃癌	・YCCEL1 とは別のウイルス株が感染
YCCEL1 (AP015016.1)	1	Ⅰ	EBV 関連胃癌	・SNU-719 とは別のウイルス株が感染
SNK/SNT	1	Ⅱなど	EBV関連 T/NK 細胞リンパ増殖性疾患	・NK 細胞由来，$\gamma\delta$ T 細胞由来，$\alpha\beta$ T 細胞由来の 3 系統あり

Jijoye 細胞と P3HR-1 細胞がある．Jijoye 細胞は2 型ウイルスの感染細胞で完全長ウイルスを保持しているが，その派生株である P3HR-1 細胞にはEBNA2 遺伝子を欠損するウイルスが感染している．EBNA2 は，リンパ球不死化において必須遺伝子であるため，P3HR-1 株ウイルスはリンパ球不死化能を欠く．

　上咽頭癌由来の EBV 株として M81 株が知られており，これも 1 型ウイルスが感染している．M81 細胞は，上咽頭癌組織をマウスで継代し，そこから得られたウイルスをマーモセットリンパ球に感染させて得られた細胞株である．系統樹解析によると M81 ウイルスは，上咽頭癌流行地域によくみられる EBV 株の系統に属する．B95-8 株ウイルスと比較して，M81 株ウイルスは，上皮系細胞への感染効率にすぐれ，また樹立した LCL における自律的ウイルス産生能力が高い．ただしこ

うした性質を規定するウイルス遺伝子多型は同定されていない．

　その他の疾患由来 EBV の感染細胞株として，胃がん由来の SNU-719 細胞，YCCEL1 細胞（ともに韓国由来），および清水らによって樹立された T/NK 細胞リンパ腫に由来する一連の細胞株（SNK6 細胞，SNT16 細胞など）があり，各種実験に応用されている．

潜伏感染遺伝子発現様式による分類

　EBV 関連疾患ごとに，感染細胞においてそれぞれ特有の潜伏感染遺伝子発現様式があり，実験室で使われる疾患由来細胞株を用いて研究されてきた．

　潜伏感染遺伝子発現様式のなかで，最も限られた数のウイルス蛋白質が発現するのが I 型潜伏感染（latency I）である（図 2）．I 型潜伏感染

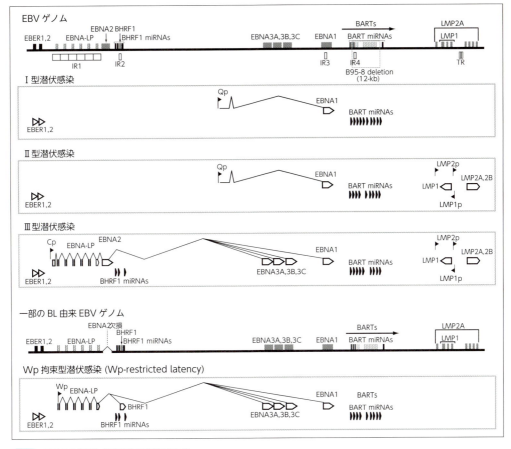

図2　EBV の潜伏感染遺伝子発現様式

最上段に線状化したウイルスゲノムの模式図を示し，その下にウイルス蛋白質，小 RNA（EBER），microRNA（BHRF1 miRNAs，BART miRNAs）の発現パターンを図示した．mRNA のスプライシングは一部簡略化して描図してある．IR，TR は図1と同じ

で発現するウイルス蛋白質は，エピソーム維持に最低限必要な EBNA1 のみである．EBNA1 蛋白質は，分裂増殖するすべての EBV 感染細胞において発現する唯一のウイルス蛋白質で，EBV エピソームを染色体上につなぎとめる働きがある．EBNA1 蛋白質をコードする mRNA の転写は，ウイルスゲノムの BamHI Q 領域から開始する．I 型潜伏感染では EBNA1 に加えて2種の小 RNA（EBER1，EBER2），BARTs とよばれる non-coding RNA，および microRNA 群（後述）も発現する．BL 由来 Akata 細胞は，体内で BL 細胞が示す I 型潜伏感染を実験室で再現している．

　生体内における胃がん細胞のウイルス遺伝子発現様式は，BL と同じ I 型潜伏感染である．EBV

陽性胃癌由来の SNU-719，YCCEL1 細胞も生体内と同じく I 型潜伏感染様式をとる．胃癌をはじめとする EBV 関連上皮系癌では，RNA 分子である BARTs の発現が高い．BARTs は同領域にコードされている microRNA を発現するための前駆体（primary microRNA）である．EBV が胃上皮細胞へ感染すると，ウイルス遺伝子発現を抑制するための宿主免疫応答の一環として，エピジェネティックな遺伝子発現抑制が起こる．その結果，細胞遺伝子発現もエピジェネティックな制御を受ける．EBV 胃癌は，胃癌のなかで DNA の高度メチル化を伴う特異な遺伝子発現プロファイルを示す一群として位置づけられている．

　II 型潜伏感染は，I 型潜伏感染で発現する遺伝

子産物に加えて，2つの latent membrane protein（LMP）蛋白質（LMP1 および LMP2A・2B）が発現する．ヒト体内では，EBV 陽性上咽頭がん細胞や Hodgkin リンパ腫（Hodgkin lymphoma：HL）でみられる遺伝子発現様式である（図 2）．LMP1 遺伝子はこうした腫瘍の発症および進展において重要な働きをしていると考えられる．LMP1，LMP2A はそれぞれ細胞性 CD40，B 細胞受容体の機能模倣分子であり，細胞増殖を亢進させる．

実験室においてヒトリンパ球から樹立される LCL が示す遺伝子発現様式はⅢ型潜伏感染（latency Ⅲ）とよばれ，B95-8 細胞もこのタイプである（図 2）．Ⅲ型潜伏感染では，Ⅱ型潜伏感染で発現する分子に加えて，EBNA2，EBNA-LP，さらに EBNA3A・3B・3C が発現する．Ⅲ型潜伏感染の成立までの経過として，感染初期の B リンパ球では，最初に BamHI W 領域からの転写物により EBNA2，および EBNA-LP 蛋白質が発現する．EBNA2 蛋白質は細胞性因子と協調して BamHI C 領域に存在する遺伝子発現プロモーターを活性化する．その結果，BamHI C 領域からはじまる長大な mRNA 前駆体が作られ，その後，複雑なスプライシングを受けて成熟 mRNA となり，すべての EBNA 蛋白質が発現する．LMP1 および LMP2 蛋白質も EBNA2 依存性に発現する．LCL で発現するウイルス蛋白質のうち，B リンパ球不死化に必須の蛋白質は EBNA1，EBNA2，EBNA3A，EBNA3C，LMP1 である．

ヒト体内での潜伏感染遺伝子発現様式（Ⅰ型，Ⅱ型，Ⅲ型）を決定するのは，宿主の免疫状態である．免疫が正常の場合には，Ⅰ型潜伏感染様式をとることでウイルス蛋白質の発現を最小限にして宿主免疫から逃れる．Ⅲ型潜伏感染で発現する EBNA2 や EBNA3 は，ヒト体内において細胞性免疫の標的となるため，宿主の免疫が正常である場合は感染細胞が速やかに排除される．一方で宿主が免疫不全状態に陥ると，Ⅲ型潜伏感染様式の細胞も生体内で増殖可能となる．たとえば human immunodeficiency virus（HIV）顕性感染者，臓器移植患者などで発症する EBV 関連 lymphoproliferative disease（LPD）は，ヒト体内

でⅢ型潜伏感染様式の細胞が増殖する疾患の典型である．

上記Ⅰ～Ⅲ型潜伏感染に加えて，最近，一部の BL 細胞に特徴的な遺伝子発現様式として，Wp 拘束型潜伏感染（Wp-restricted latency）というウイルス遺伝子発現様式が報告された[4]（図 2）．このタイプの潜伏感染様式を示すウイルスは，EBNA2 遺伝子に欠損をもつ．EBNA2 蛋白質の発現がないため，BamHI C 領域のプロモーターの活性化が起こらず，通常は感染初期にのみ働く BamHI W 領域のプロモーターが潜伏感染定常期においても活性化状態を維持する．結果として，EBNA3・EBNA1 蛋白質に加えて（EBNA2 欠損部位のすぐ下流にコードされる）BHRF1（BamHI H rightward reading frame 1）蛋白質が発現する．BHRF1 蛋白質はヒト bcl-2 蛋白質の機能ホモログであり，抗アポトーシス活性を発揮する．実験室細胞株である P3HR-1 細胞は Wp 拘束型潜伏感染様式を示す細胞の代表であり，その増殖は BHRF1 蛋白質依存性であることが実験的に証明されている．

BL の発生機構を考えるうえで，Ⅰ型潜伏感染と Wp 拘束型潜伏感染の比較は大きなヒントを与えてくれる．BL 細胞では EBV 感染のあり・なしにかかわらず，*Myc* 遺伝子の染色体転座による高発現がみられる．染色体転座を起こして Myc が高発現した細胞は，本来 B リンパ球成熟過程で排除される運命にある．しかしこうした細胞が何らかの要因で生き残ったのが BL であり，生き残りの要因の1つが EBV 感染であると考えられる．染色体転座による *Myc* 遺伝子の高発現は，ウイルスの EBNA2 遺伝子発現とは相互排他的であり，エピジェネティックな制御により EBNA2 の発現が抑えられるとⅠ型潜伏感染様式に帰結する．一方，EBNA2 をエピジェネティックに抑制する代わりに，ウイルスゲノムから EBNA2 遺伝子が欠落するのが Wp 拘束型潜伏感染である．Daudi 細胞など他の複数の BL 由来細胞株でも同様の EBNA2 遺伝子の欠損が認められることは，こうした欠落が体内において一定頻度で起きていることを強く示唆する．

上述の I 型，II 型，III 型潜伏感染とは別に，分裂増殖していないヒト体内のメモリーB 細胞における感染は latency 0 とよばれ，EBNA1 蛋白質も発現せず，EBER のみが発現する．

ウイルス感染細胞における再活性化

メモリーB 細胞に潜伏感染したウイルスは，B 細胞への抗原刺激が加わると，B cell receptor から細胞核へと細胞増殖シグナルが伝達し，溶解感染のスイッチ遺伝子である BZLF1（BamHI Z leftward reading frame 1）が発現する．BZLF1 遺伝子は，メチル化した潜伏感染 EBV ゲノムにのみ作用する[5]．すなわちウイルスゲノム DNA がメチル化されてはじめて BZLF1 応答性となる．このことが細胞への感染直後に溶解感染へと移行できない理由と考えられる．

発現した BZLF1 は他のウイルス遺伝子および細胞性転写因子と協調してウイルス初期遺伝子のプロモーターを活性化する．その結果，一連のウイルスの複製蛋白質遺伝子を含む初期遺伝子が発現する．同時に BZLF1 は複製起点 oriLyt に結合して，複製蛋白質群によるウイルスゲノム複製を開始させる．別の一群の初期遺伝子は，ウイルス性転写開始前複合体（viral preinitiation complex；vPIC）を形成して，ウイルス後期遺伝子の転写開始を促す[6]．後期遺伝子の転写はウイルスゲノムの複製に依存することが知られている．ウイルス産生時には感染細胞核内に複製コンパートメント（replication compartments）とよばれる核内サブドメインが形成され，ウイルス複製，後期遺伝子転写，ウイルス粒子の組み立てはこうした replication compartment 内で行われる．成熟ウイルス粒子は，B 細胞あるいは上皮細胞へと感染し，再び潜伏感染状態となる．

おわりに

EBV の潜伏感染・溶解感染におけるウイルス遺伝子発現，および代表的な EBV 感染細胞株における遺伝子発現様式の違いについて概説した．多くは B リンパ球不死化実験，細胞株への感染実験など in vitro の実験から得られた知見である．こうした知見が生体内における状況をどの程度反映しているのか，検証が必要である．感染細胞に対する宿主免疫，感染細胞におけるウイルス・細胞遺伝子発現のエピジェネティックな制御は極めて複雑であり，さらなる研究の進展が期待される．EBV 感染による上皮細胞，あるいは T/NK 細胞の腫瘍化には細胞性遺伝子変異が必須であり，こうした過程を実験室で再現する系の開発も必要である．さらに新たな動物モデルの構築など，より生理的な実験系の確立が望まれる．

文　献

1) Bordon Y : Linking Epstein-Barr virus infection to multiple sclerosis. Nat Rev Immunol 2022 ; 22 : 143.
2) Palser AL, et al. : Genome diversity of Epstein-Barr virus from multiple tumor types and normal infection. J Virol 2015 ; 89 : 5222-5237.
3) Okuno Y, et al. : Defective Epstein-Barr virus in chronic active infection and haematological malignancy. Nat Microbiol 2019 ; 4 : 404-413.
4) Kelly GL, et al. : An Epstein-Barr virus anti-apoptotic protein constitutively expressed in transformed cells and implicated in burkitt lymphomagenesis : the Wp/BHRF1 link. PLoS Pathog 2009 ; 5 : e1000341.
5) Bhende PM, et al. : The EBV lytic switch protein, Z, preferentially binds to and activates the methylated viral genome. Nat Genet 2004 ; 36 : 1099-1104.
6) Gruffat H, et al. : Herpesvirus late gene expression : a viral-specific pre-initiation complex is key. Front Microbiol 2016 ; 7 : 869.

EBウイルスによるBリンパ球不死化機構

長崎大学高度感染症研究センター
南保明日香

はじめに

Epstein-Barr ウイルス（Epstein-Barr virus：EBV）は，Bリンパ球，上皮細胞，NK/T細胞に指向性を示し，Bリンパ球悪性腫瘍である Barkitt リンパ腫や Hodgkin リンパ腫，上皮悪性腫瘍である上咽頭癌や胃癌，NK/T細胞リンパ腫と関連する．EBVは，特にBリンパ球に高い指向性を示すが，これは，EBVが粒子上のエンベロープ蛋白質 gp350/220 と，Bリンパ球に特異的に発現する受容体 CD21 との相互作用を介して吸着することで成立する．EBVは，ヒト正常Bリンパ球を無制限に増殖させる不死化活性を有し，これは EBV ががんウイルスであることの根拠の1つとされてきた．本項では，EBVのBリンパ球不死化機構について概説する．

EBVによるBリンパ球不死化

EBVは試験管内でヒト末梢Bリンパ球に効率よく感染する．感染したBリンパ球は，約24時間後にリンパ芽球様細胞へ変化する．約36時間後には DNA 合成が開始し，24時間から72時間の倍加時間で持続的に増殖する能力を獲得する．このような現象を EBV による不死化（トランスフォーメーション）と称し，不死化能を獲得した細胞を，リンパ芽球様細胞株（lymphoblastoid cell line：LCL）と称する[1]．LCLは樹立後，しばらくは安定して増殖するが，半年程経過した時点で，テロメアの短縮に伴い多くの細胞が死滅する時期（crisis：クライシス）を迎える[2]．この段階で，テロメラーゼが誘導されると，LCLは再び安定的に増殖を開始する．厳密には，crisis を克服した段階での細胞を LCL と定義するべきである

が，一般的に，感染後増殖を開始した段階で LCL と称されることが多い．LCLは，lymphocyte function associated antigen（LFA）-1，LFA-3，intercellular adhesion molecule（ICAM）-1 などの細胞接着因子を発現し，細胞塊を形成して増殖する．また，インターロイキン（IL）-1，IL-5，IL-6，リンフォトキシンなど様々なサイトカインを産生し，これらは LCL に対するオートクラインならびにパラクライン増殖因子として機能することが報告されている．

Bリンパ球不死化における EBV 遺伝子発現

EBVがB細胞に感染した直後，一部の細胞において溶解感染サイクルへのスイッチ遺伝子である BamHI Z leftward reading frame 1（BZLF1）が一過性に発現することが報告されている[3]．しかしながら，不死化には溶解感染遺伝子は必須ではなく，潜伏感染遺伝子の発現により Bリンパ球の持続的増殖が成立する．

EBVがヒト末梢Bリンパ球に感染すると，まず EBV-determined nuclear antigen（EBNA）Wp プロモーターから EBNA mRNA が転写され，スプライシングにより EBNA-LP と EBNA2 の mRNA が合成後，それぞれ蛋白質に翻訳される（p.84「EBウイルス感染の基礎知識―代表的な細胞株とウイルス遺伝子発現様式―」の図1を参照）．EBNA RNA の転写産物の増大に伴い，スプライシングを介して，EBNA1，EBNA3A，EBNA3B，EBNA3C が転写，翻訳される．EBNA2 は EBNA Cp プロモーターを活性化する作用に加えて，転写活性化因子として latent membrane protein（LMP）1，LMP2A，LMP2B

の転写を促進し, 各種 LMP 蛋白質の産生を促進する. また, 上記蛋白質に加えて, poly A が付加されず蛋白質に翻訳されない小 RNA である EBV-encoded small RNA (EBER) 1 および EBER2, そして, ウイルスゲノムの BamHI A rightward transcripts (BART) および BamHI H right fragment (BHRF) 1 の 2 領域にコードされる約 40 種の microRNA (miRNA) が発現する.

すなわち, LCL には, EBV ゲノムにコードされている 80 種以上の遺伝子のうち, 6 種の EBNA 蛋白質と 3 種の膜蛋白質, そして蛋白質に翻訳されない 3 種の低分子 RNA の, 計 12 種類の潜伏感染遺伝子が発現している. LCL はこの発現様式から latency III に分類される[1].

EBV による B リンパ球不死化機構

従来, LCL に発現する潜伏感染遺伝子を欠失した EBV 株, あるいは, これらの遺伝子に変異を導入した組換え EBV を用いた解析から, 不死化に関与する遺伝子が同定された. LCL に発現する遺伝子のうち, 不死化に必須であるのは, EBNA1, EBNA2, EBNA3A, EBNA3C, LMP1 の 5 種である. また, EBNA-LP, EBER2, BHRF1 miRNA は欠失により不死化効率が抑制する. 一方, EBNA3B, LMP2A, LMP2B, EBER1, BART miRNA は不死化に必須ではないとされる(表 1)[4-10].

以下, 不死化に必須あるいは重要な EBV 遺伝子の役割を概説し, EBV の B リンパ球不死化機構について考察する(図 1).

1. EBNA1

潜伏感染において EBV ゲノムは環状プラスミド (エピソーム) として核内に存在する. EBNA1 は EBV ゲノムの *ori*P 配列に結合し, これらを染色体に繋ぎ止めることで, 感染維持に寄与する. また EBNA1 は, *ori*P 配列への結合を介して Cp プロモーターを活性化する転写促進因子として機能し, EBNA, LMP1 など不死化に関与する遺伝子の発現を増強する[11]. EBNA1 は染色体にも結合するが, EBNA1 による宿主遺伝子の転写活性

表 1　B リンパ球の不死化に関与する EBV 遺伝子

遺伝子名	機 能
EBNA1	不死化に必須 EBV エピソームの保持と複製. Cp プロモーターの活性化
EBNA2	不死化に必須 RBP-J κ を介した LMP1, *c-myc* などの発現誘導
EBNA3A	不死化に必須 RBP-J κ 依存的な転写制御
EBNA3C	不死化に必須 RBP-J κ 依存的な転写制御. 細胞周期の制御
EBNA-LP	不死化に重要 EBNA-2 と協調した転写制御
LMP1	不死化に必須 CD40 シグナルを模倣した細胞内情報伝達系の活性化 *c-myc* の発現増強
EBER2	不死化に重要 IL-6 産生増強
BHRF1 miRNA	不死化に重要 免疫回避

化を介した不死化への関与については現時点では明確ではない. EBNA1 はまた, 様々な宿主因子との相互作用を介して免疫回避やアポトーシス抵抗性などの多様な活性を示す.

2. EBNA2

EBNA2 遺伝子を欠損した P3HR-1 株が B 細胞を不死化せず, EBNA2 を補うことで不死化能を獲得するという報告から, EBNA2 が不死化に必須な責任遺伝子の 1 つであることが示された[4,5]. EBNA2 は転写活性化因子として機能し, EBNA Cp プロモーター, LMP1 プロモーター, LMP2 プロモーターの活性化を介して LMP1, LMP2A, LMP2B の発現を誘導する. また, *c-myc*, *c-fgr* などの宿主由来のプロトオンコジーンや, CD21, CD23 などの表面マーカーの転写活性化にも関与する. EBNA-2 自身は DNA 結合能をもたず, 宿主の DNA 結合蛋白質である recombination signal binding protein (RBP)-J κ/CBF1 との結合を介して染色体に結合する. EBNA-2 によって転写が誘導される遺伝子群のうち, *c-myc* と LMP1 が不死化に重要であると考え

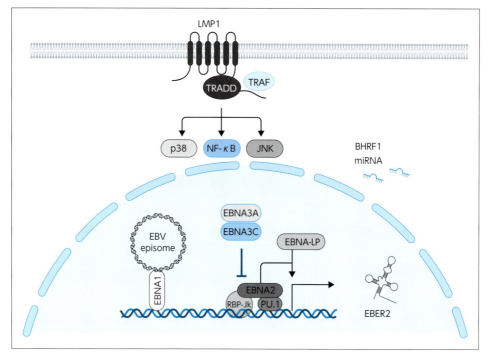

図1　B リンパ球不死化に関与する EBV 遺伝子

られている.

3. LMP1

　LMP1 変異ウイルスは B リンパ球の不死化活性を欠失することから，この遺伝子は不死化に必須である[6]．LMP1 は 6 回膜貫通型蛋白質であり，N 端と C 末端は細胞質に存在する．LMP1 の C 末端領域には，C-terminal activation region（CTAR）と称される 2 つの配列が存在し，tumor necrosis factor（TNF）receptor-associated factor（TRAF），TNF receptor（TNFR）-associated death domain protein（TRADD）などの宿主シグナルアダプター分子が会合する．LMP1 は膜貫通領域を介して自己凝集することで，nuclear factor kappa-B（NF-κB）および c-Jun N-terminal kinase（JNK），p38 経路を恒常的に活性化する[12]（図 1）．これらの細胞内情報伝達経路の活性化を介して CD21，CD23，CD40，ICAM-1，LFA-1 などの遺伝子群の転写が誘導される．LMP1 はまた，c-myc の転写を活性化することでテロメラーゼ活性を増強する．TNF スーパーファミリー受容体である CD40 をリガンドで刺激すると，TRAF との会合を介して NF-κB，mitogen-activated protein（MAP）キナーゼ経路が活性化され，B リンパ球の活性化および増殖が惹起される[13]．LMP1 と CD40 の B リンパ球活性化経路の多くは重複しており[14,15]，LMP1 は自己凝集することで，CD40 シグナル経路を恒常的に活性化し，B リンパ球の不死化に関与する．LMP1 はさらに，NF-κB 経路の活性化を介して抗アポトーシス因子である bcl-2 発現を誘導することで，アポトーシス抵抗性を附与することでも知られる．前述したように，EBNA2 は転写活性因子として c-myc 発現を直接誘導するとともに，LMP1 を介して c-myc 発現を誘導することで細胞増殖を惹起する（図 1）．

4. EBNA3A, EBNA3C

　EBNA3A，EBNA3B，EBNA3C は EBV ゲノム上で連続してコードされ，同一プロモーターから転写される．これらは類似した構造を有することから，共通の遺伝子から進化したと考えられている．EBNA3A，EBNA3C は不死化に必須であ

るが，EBNA3Bは不要である[7]．EBNA3はすべてRBP-Jκ結合ドメインを持ち，EBNA2と競合してRBP-Jκと結合することで，EBNA2の転写活性に依存した標的遺伝子の発現を抑制する．EBNA3Aは，おもにRBP-Jκとの結合を介して，LCLの増殖に関与すると考えられている[16]．一方，EBNA3Cはこの機能に加えて，標的因子のユビキチン化を介して細胞周期を制御することで，LCLの増殖に寄与する可能性が示されている[17]．さらに，EBNA3A，EBNA3Cはエピジェネティック修飾やmiRNAを介した転写促進を通じて，多様な宿主因子の機能を制御する[18]．

5. EBNA-LP

EBNA-LPのC末端領域を部分的に欠損した組換えEBVは不死化能力が著しく低下することが報告されている[8]．EBNA-LPはEBNA2と協調的に働き，EBNA2依存的なCpプロモーター，LMP1プロモーターの活性化を増強することで不死化に寄与すると予想されている[19,20]．

6. EBER

EBERは約170塩基からなるpoly A（−）の小RNAであり，蛋白質に翻訳されない．EBER1とEBER2の2種類が存在し，高次構造をとることで，La，L22，protein kinase R（PKR），retinoic acid-inducible gene（RIG）-Iなどの宿主蛋白質と相互作用する．EBERは細胞当たり最大10^7コピーと大量に存在することからin situ hybridizationを用いたがん組織でのEBVの検出に有用である．2種のEBERのうちEBER2を欠失させると不死化の効率が低下する[10]．EBER2は，IL-6を産生することで，不死化の成立およびその維持に貢献すると想定されている．

7. miRNAs

EBVはBHRF1とBART領域にそれぞれ3種，40種のmiRNAをコードする．これらのmiRNAは感染Bリンパ球に高レベルに発現しているが，特にBHRF1 miRNAはlatency IIIに顕著に発現することが知られている．代表的なウイルス株である B95-8 では BART miRNA の大部分が欠失しているにもかかわらず，不死化活性を保持していることから，BART miRNA は不死化には必須ではないと考えられている．その一方で，BHRF1 miRNA の欠失によって，Bリンパ球の生存，増殖，不死化に抑制が認められたとの報告がある[21]．これらの miRNA の標的因子として，免疫回避，アポトーシス抵抗性，細胞増殖能に関与する多様な分子が同定されているが，不死化過程におけるこれらの具体的な機能については今後のさらなる検証が待たれる[22]．

おわりに

本項で述べたように，Bリンパ球の不死化において，各種 EBV 潜伏感染遺伝子が協調的に機能することで成立する．

従来，EBV による不死化は in vitro で起こる現象であり，EBV による発がんとは異なると考えられていた．しかし，その後，同様の現象が生体内でも起こることが証明された．

EBV は唾液を介して伝播し，第一に口腔咽頭領域のBリンパ球に感染して，in vitro と同様にこれを不死化・増殖させる．健常人では EBV に対する cytotoxic T limphocyte（CTL）が感染細胞を標的とすることで大部分の EBV は排除される．しかしながら，EBV の一部は免疫の標的となる EBV 蛋白質をほとんど発現しない状態でメモリーB 細胞に潜伏して生涯にわたり持続感染する．臓器移植後の免疫抑制や human immunodeficiency virus（HIV）感染による免疫不全により宿主免疫が破綻すると，不死化Bリンパ球が増殖可能となり，移植後リンパ増殖症や日和見リンパ腫が発症する．すなわち，EBV によるBリンパ球の不死化は，免疫不全下における発がんモデルを反映することが示された．

近年，LCL モデルを用いたオミックス解析により，不死化にかかわる宿主遺伝子群が同定され，このプロセスにかかわる分子機構が明らかになりつつある．今後は，得られた知見をヒト化マウスなどの感染モデルに応用することで EBV によるBリンパ球不死化機構の全貌が解明されることが

望まれる.

文　献

1) Longnecker RM, et al. : Epstein-Barr virus and its replication. In Knipe M, et al. (eds) : Fields virology. 6th ed. Lippincott Williams & Wilkins, 2013 : 1898-1959.

2) Sugimoto M, et al. : Steps involved in immortalization and tumorigenesis in human B-lymphoblastoid cell lines transformed by Epstein-Barr virus. Cancer Res 2004 ; 64 : 3361-3364.

3) Wen W, et al. : Epstein-Barr virus BZLF1 gene, a switch from latency to lytic infection, is expressed as an immediate-early gene after primary infection of B lymphocytes. J Virol 2007 ; 81 : 1037-1042.

4) Hammerschmidt W, et al. : Genetic analysis of immortalizing functions of Epstein-Barr virus in human B lymphocytes. Nature 1989 ; 340 : 393-397.

5) Cohen JI, et al. : Epstein-Barr virus nuclear protein 2 is a key determinant of lymphocyte transformation. Proc Natl Acad Sci USA 1989 ; 86 : 9558-9562.

6) Kaye KM, et al. : Epstein-Barr virus latent membrane protein 1 is essential for B-lymphocyte growth transformation. Proc Natl Acad Sci USA 1993 ; 90 : 9150-9154.

7) Tomkinson B, et al. : Epstein-Barr virus nuclear proteins EBNA-3A and EBNA-3C are essential for B-lymphocyte growth transformation. J Virol 1993 ; 67 : 2014-2025.

8) Mannick JB, et al. : The Epstein-Barr virus nuclear protein encoded by the leader of the EBNA RNAs is important in B-lymphocyte transformation. J Virol 1991 ; 65 : 6826-6837.

9) Humme S, et al. : The EBV nuclear antigen 1 (EBNA1) enhances B cell immortalization several thousandfold. Proc Natl Acad Sci USA 2003 ; 100 : 10989-10994.

10) Yajima M, et al. : Critical role of Epstein-Barr Virus (EBV)-encoded RNA in efficient EBV-induced B-lymphocyte growth transformation. J Virol 2005 ; 79 : 4298-4307.

11) Altmann M, et al. : Transcriptional activation by EBV nuclear antigen 1 is essential for the expression of EBV's transforming genes. Proc Natl Acad Sci USA 2006 ; 103 : 14188-14193.

12) Yasui T, et al. : Latent infection membrane protein transmembrane FWLY is critical for intermolecular interaction, raft localization, and signaling. Proc Natl Acad Sci USA 2004 ; 101 : 278-283.

13) Dirmeier U, et al. : Latent membrane protein 1 of Epstein-Barr virus coordinately regulates proliferation with control of apoptosis. Oncogene 2005 ; 24 : 1711-1717.

14) Dirmeier U, et al. : Latent membrane protein 1 is critical for efficient growth transformation of human B cells by epstein-barr virus. Cancer Res 2003 ; 63 : 2982-2989.

15) Uchida J, et al. : Mimicry of CD40 signals by Epstein-Barr virus LMP1 in B lymphocyte responses. Science 1999 ; 286 : 300-303.

16) Maruo S, et al. : Epstein-Barr virus nuclear protein 3A domains essential for growth of lymphoblasts : transcriptional regulation through RBP-Jkappa/CBF1 is critical. J Virol 2005 ; 79 : 10171-10179.

17) Knight JS, et al. : Epstein-Barr virus latent antigen 3C can mediate the degradation of the retinoblastoma protein through an SCF cellular ubiquitin ligase. Proc Natl Acad Sci USA 2005 ; 102 : 18562-18566.

18) Allday MJ, et al. : The EBNA3 Family : Two Oncoproteins and a Tumour Suppressor that Are Central to the Biology of EBV in B Cells. Curr Top Microbiol Immunol 2005 ; 391 : 61-117.

19) Harada S, et al. : Epstein-Barr virus nuclear protein LP stimulates EBNA-2 acidic domain-mediated transcriptional activation. J Virol 1997 ; 71 : 6611-6618.

20) Yokoyama A, et al. : Identification of major phosphorylation sites of Epstein-Barr virus nuclear antigen leader protein (EBNA-LP) : ability of EBNA-LP to induce latent membrane protein 1 cooperatively with EBNA-2 is regulated by phosphorylation. J Virol 2001 ; 75 : 5119-5128.

21) Seto E, et al. : Micro RNAS of epstein-barr virus promote cell cycle progression and prevent apoptosis of primary human B cells. PLoS Pathog 2010 ; 6 : 69-70.

22) Skalsky RL, et al. : EBV Noncoding RNAs. Curr Top Microbiol Immunol 2015 ; 391 : 181-217.

4　EB ウイルス感染とマイクロ RNA

島根大学医学部微生物学講座
飯笹　久

はじめに

Epstein-Barr ウイルス（Epstein-Barr virus：EB）関連胃癌（EBV-associated gastric cancer：EBVaGC）は，腫瘍の発生初期からウイルスに感染し続けている．どうやって，この癌が免疫の攻撃から回避できるのか，その分子機構は長い間不明であった．近年，EBV が複数の microRNA（miRNA）を保持し，EBVaGC において高発現していることが明らかとなった．本項では，EBV がコードする miRNA による免疫機構からの回避や，腫瘍増殖における役割について最近の知見を解説する．

EBV 由来 miRNA の発見

EBV の B95-8 株は，伝染性単核球症の血液からピグミーマーモセットの B 細胞へとウイルスを感染させ，分離したウイルス株である．B95-8 株は，薬剤刺激によりウイルス産生を大量に行うことができ，さらに産生したウイルスを B リンパ球へ感染させると形質転換を起こす．このため，B95-8 株は EBV 研究において主要なウイルス株として用いられていた．しかし，B95-8 株は野生株と比べ BamHI A rightward transcripts（BART）遺伝子を 12 kb 欠失していた[1]．BART 遺伝子は，EBVaGC や上咽頭癌で高発現しているが[2,3]，上述のとおり B95-8 株のウイルスライフサイクルは正常であったことから，BART 遺伝子の生理的意義は長い間不明であった．2005 年 Pfeffer らは，BART 遺伝子のイントロンに数個の miRNA 存在することを報告した[4]．さらに，2006 年 Cai らは B95-8 株で欠落している BART 遺伝子のイントロンに，多数の miRNA が存在するこ

とを報告した[5]．

miRNA とは，20～22 塩基からなる非翻訳一本鎖 RNA で，前駆体（pri-miRNA）から 2 種類の酵素による切断を経て，成熟型 miRNA が産生される．1 つの前駆体から，5p 鎖，3p 鎖の 2 つの成熟型 miRNA が作られ，miRNA は RNA-induced silencing complex（RISC）に組み込まれる．RISC-miRNA 複合体は，自身の 5′ 末端から 2～8 塩基にあるシード配列を介して，mRNA の 3′ 非翻訳領域（3′UTR）と結合する．RISC と 3′UTR の結合は，翻訳抑制や mRNA 分解を引き起こし，標的遺伝子の発現を抑制する[6]．

野生型 EBV には 40 個の BART miRNA が存在し，それらはイントロンによって分離され，BART miRNA クラスター1 および 2 となっている（図 1）[7]．EBV ゲノムから転写された二本鎖 RNA は，宿主の miRNA 機構により処理され，ウイルスの miRNA が生成される[7]．BART miRNA クラスター1 には，pri-miR-BART1，3～6，15～17 という 8 種類の pri-miRNA がコードされている．また BART miRNA クラスター2 には，pri-miR-BART21，18，7，8，9，22，10，11，12，19，20，13，14 の 13 種類の pri-miRNA がコードされている．さらに，これら 2 つのクラスターから少し離れた位置に，pri-miR-BART2 が存在する．B95-8 株では野生株と比べ，クラスター1 の pri-miR-BART5 から，クラスター2 の全領域の 12 kb が欠落し，13 個の pri-miRNA を欠落している[7]（図 1）．

また EBV は BART 遺伝子以外にも miRNA をもっている．BamHI H rightward fragment 1（BHRF1）の遺伝子には，pri-miR-BHRF1-1，-BHRF1-2，-BHRF1-3 とよばれる 3 つの pri-

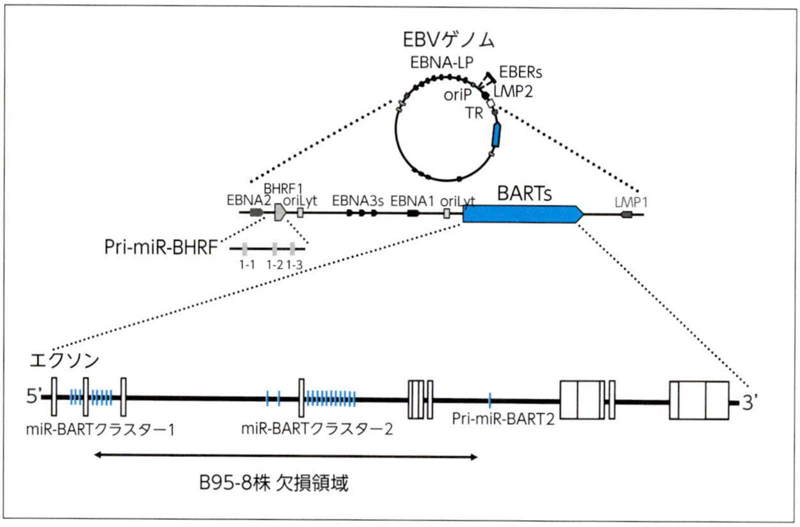

図1　EBV が保持する BART miRNA
EBV ゲノムは，BART 遺伝子をもっている．BART 遺伝子のイントロンには，miRNA が多数存在する．BART miRNA クラスター1（pri-miR-BART1，3〜6，15〜17），BART miRNA クラスター2（pri-miR-BART21，18，7，8，9，22，10，11，12，19，20，13，14）．2つのクラスターから少し離れた位置に，pri-miR-BART2 が存在する．青棒は，miR-BART 前駆体を示す

miRNA が存在する（図1）．BHRF1 遺伝子の周囲に存在する miRNA は，EBVaGC ではほとんど発現していないことから，本項では BART miRNA について解説を行う．

BART miRNA による潜伏感染維持

EBV は自身のゲノムを急速に増幅させる溶解感染と，細胞周期に連動して複製する潜伏感染という2つのライフサイクルをもっている．潜伏感染では，EBV は限定した種類のウイルス蛋白質を発現しているが，これらは宿主にとって異物であり，発現量が高すぎると免疫機構により認識されてしまう．miR-BART1-5p，miR-BART16-5p，miR-BART17-5p，miR-BART9-5p は，免疫原性の高い latent membrane protein 1（LMP1）を標的とし，その発現を抑制する[8,9]．また miR-BART22 は，LMP2A の発現を抑制する[10]（図2）．

BART 遺伝子領域を大きく欠落している B95-8 株は，野生型と比べて溶解感染に移行しやすいという特徴があった．ウイルスが溶解感染へ移行すると，ウイルス蛋白質が大量に作られ，より免疫から攻撃を受けやすくなる．miR-BART20-5p は，溶解感染に必須なウイルス転写因子 BamHI Z leftward reading frame 1（BZLF1）と BamHI R leftward reading frame 1（BRLF1）の発現を抑制する[11]．加えて，miR-BART2-5p は，溶解感染時のウイルス複製に重要な，ウイルス DNA ポリメラーゼ（BALF5）の生成を阻害する[12]（図2）．

EBV の潜伏感染維持には，宿主遺伝子も重要な役割を担っている．miR-BART6-5p は，宿主の miRNA プロセッシング酵素である Dicer1 を標的とすることで，潜伏感染を維持する[13]．実際，宿主の miR-200b，miR-429，miR-141 などの miRNA は，溶解感染を誘導する[14,15]．また，これらの研究と合致して，すべての BART miRNA を欠損したウイルス株を作成すると，野生型 EBV を感染しているときと比較して，BZLF1 や Dicer1 の発現が上昇し，溶解感染へと移行しやすくなる[16]（図2）．

BART miRNA による免疫機構からの回避

EBVaGC では，その発生直後からウイルスが感染しているにもかかわらず，腫瘍細胞は免疫に

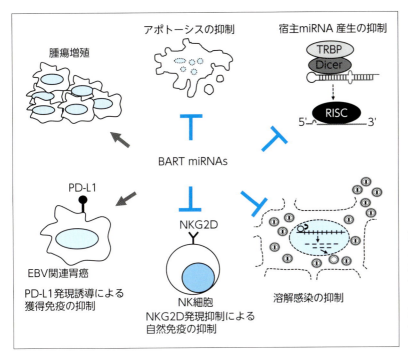

腫瘍増殖

アポトーシスの抑制

宿主miRNA産生の抑制

BART miRNAs

PD-L1

EBV関連胃癌
PD-L1発現誘導による
獲得免疫の抑制

NKG2D

NK細胞
NKG2D発現抑制による
自然免疫の抑制

溶解感染の抑制

図2　BART miRNAの標的遺伝子群

BART miRNAは，アポトーシス，宿主miRNA産生酵素，溶解感染，自然免疫関連の遺伝子を標的とし，これらを抑制する．さらに，細胞増殖抑制やPD-L1発現抑制にかかわる遺伝子を標的とすることで，これらを活性化する

よって排除されない．ウイルスが感染した細胞は，これを異物として認識し，インターフェロン（IFN）やnuclear factor kappa-B（NF-κB）を活性化してウイルスを排除しようとする．この反応を自然免疫という．miR-BART16は，cAMP response element-binding protein-binding protein（CBP）（type I IFNシグナルの転写コアクチベーター）を標的として，IFNシグナルを阻害する[17]．また，B95-8株にAkata株由来のBART miRNAコード配列を挿入すると，親株と比較してNF-κBの活性が低下する[18]．自然免疫のもう1つの反応として，ウイルスを感染した細胞は，主要組織適合性複合体（MHC）クラスIポリペプチド関連配列B（MICB）の発現が上昇し，NK細胞上のナチュラルキラーグループ2メンバーD（NKG2D）により認識され破壊される．miR-BART2-5pは，MICBを標的とする[19]．

　自然免疫によって活性化された免疫機構は，抗原特異的な獲得免疫へと移行する．なかでも，細胞傷害性T細胞やヘルパーT細胞などの細胞性免疫の活性化は，ウイルス感染抑制において非常に重要なステップである．2014年，295サン

プルの胃癌の解析から，胃癌は，①EBVaGC，②マイクロサテライト不安定型，③染色体不安定型，④ゲノム不安定型の4つのタイプに分類できることが提唱された[20]．このうち，EBVaGCでは phosphatidylinositol-4,5-bisphosphate 3-kinase catalytic subunit alpha（PIK3CA）の変異，高頻度なDNAメチル化，さらにJanus kinase 2（JAK2），programmed death-ligand 1（PD-L1）もしくはPD-L2の遺伝子増幅という特徴が認められた．PD-L1とPD-L2は，T細胞に発現するPD-1と結合し，細胞性免疫を抑制する．EBVaGCでは，PD-L1の遺伝子増幅がなくても高発現している例が多く報告されたが，その分子機構は不明であった．PD-L1の発現は，転写因子signal transducer and activator of transcription 3（STAT3）により誘導される．Yoonらは，miR-BART5-5pがSTAT3分解酵素protein inhibitor of activated STAT3（PIAS3）を標的とし，PD-L1の発現を増強することを報告した[21]．さらにWangらは，PD-L1エンハンサーに結合し，その転写を抑制するforkhead box protein P1（FOXP1）がmiR-BART11の標的と

なり, protein polybromo-1（PBRM1）が miR-BART17-3p の標的となることを報告した[22]. さらに EBVaGC では, RISC に含まれる miRNA の大部分は BART miRNA となり, 宿主の免疫関連遺伝子群の発現が, BART miRNA により効率的に抑制されている[23].

これらの報告は, BART miRNA が EBV 感染細胞において自然免疫や獲得免疫を強力に抑制していることを示している.

BART miRNA による腫瘍悪性化

miRNA は非翻訳 RNA であり, 細胞内で高発現していても免疫から認識されることはない. EBV miRNA は免疫回避以外にも, 様々な機能を有している. EBV miRNA を過剰発現させた細胞を免疫不全マウスに移植すると, 親株と比べ腫瘍の増殖が増加する[24]. このように BART miRNA は様々なアポトーシス関連遺伝子も標的とする[25]（図 2）. さらに, miR-BART17-5p は kruppel-like factor 2（KLF2）を標的とし, 細胞の遊走や接着非依存的な増殖を促進する[26]. 3'UTR には一塩基多型（SNPs）が多く存在し, SNPs がシード配列標的部位にあると miRNA の効果は減衰する. 興味深いことに, 上皮細胞における癌抑制遺伝子 N-myc downstream regulated 1（NDRG1）は, 複数の BART miRNA によって標的とされており[27], たとえ SNPs が 3'UTR にあってもその影響は低いと予想される. 加えて miR-BART20-5p の高発現は, 無再発生存期間の低下と高い相関性がある[28]. これらの報告は, EBV miRNA が免疫回避のみならず, 腫瘍悪性化に重要なことを示唆している.

EBV 関連腫瘍における BART miRNA の欠損

ヒトサンプルの次世代シーケンスによる遺伝子解析が進み, EBV 関連癌の解析が進んだ結果, 意外な現象が明らかとなってきた. EBV は上皮細胞腫以外にも, 慢性活性 EBV 感染症, 鼻性 NK/T リンパ腫, びまん性大細胞型 B 細胞リンパ腫, Burkitt リンパ腫などのリンパ細胞性疾患を引き起こす. これら疾患では, BART miRNA クラスターが頻繁に欠損していた[29]. なぜこのような遺伝子欠損が生じるのか, その分子機構および生理的意義は不明である. 多くのリンパ腫では, 限定した数のドライバー遺伝子に変異が挿入され, リンパ腫を発症する. したがって, 上述のリンパ細胞性疾患においてドライバー遺伝子に変異が入ると, BART miRNA は細胞腫にとってむしろ有害な存在になるのかもしれない. 一方, EBV に感染した上咽頭癌や胃癌などの上皮細胞腫では, このような現象は認められない. このことは, EBVaGC における BART miRNA の重要性を強く示唆している.

まとめ

BART miRNA は, EBVaGC において溶解感染の抑制や, 免疫系の回避, アポトーシス抑制などに重要な役割を担っている. しかしながら, 複数の BART miRNA が同じ遺伝子を標的として, 高い抑制を引き起こすことが報告されており[27], BART miRNA を治療標的とするには, アンチセンスオリゴの導入だけでは困難である. したがって, すべての BART miRNA の発現を抑制するには, BART 遺伝子のプロモーター活性の制御が重要になるだろう. 現在, BART プロモーターの解析も進められており[30], 今後の展開が期待される.

文献

1) Baer R, et al.：DNA sequence and expression of the B95-8 Epstein-Barr virus genome. Nature 1984；310：207-211.

2) van Beek J, et al.：In vivo transcription of the Epstein-Barr virus（EBV）BamHI-A region without associated in vivo BARF0 protein expression in multiple EBV-associated disorders. J Gen Virol 2003；84：2647-2659.

3) Smith PR, et al.：Structure and coding content of CST（BART）family RNAs of Epstein-Barr virus. J Virol 2000；74：3082-3092.

4) Pfeffer S, et al.：Identification of virus-encoded microRNAs. Science 2004；304：734-736.

5) Cai X, et al.：Epstein-Barr virus microRNAs

are evolutionarily conserved and differentially expressed. PLoS Pathog 2006；2：e23.

6) Bartel DP：Metazoan MicroRNAs. Cell 2018；173：20-51.

7) Iizasa H, et al.：Role of Viral and Host microRNAs in Immune Regulation of Epstein-Barr Virus-Associated Diseases. Front Immunol 2020；11：367.

8) Lo AK, et al.：Modulation of LMP1 protein expression by EBV-encoded microRNAs. Proc Natl Acad Sci USA 2007；104：16164-16169.

9) Zhang Y, et al.：Epstein-Barr virus miRNA-BART16 modulates cell proliferation by targeting LMP1. Virus Res 2008；256：38-44.

10) Lung RW, et al.：Modulation of LMP2A expression by a newly identified Epstein-Barr virus-encoded microRNA miR-BART22. Neoplasia 2009；11：1174-1184.

11) Jung YJ, et al.：MicroRNA miR-BART20-5p stabilizes Epstein-Barr virus latency by directly targeting BZLF1 and BRLF1. J Virol 2014；88：9027-9037.

12) Barth S, et al.：Epstein-Barr virus-encoded microRNA miR-BART2 down-regulates the viral DNA polymerase BALF5. Nucleic Acids Res 2008；36：666-675.

13) Iizasa H, et al.：Editing of Epstein-Barr virus-encoded BART6 microRNAs controls their dicer targeting and consequently affects viral latency. J Biol Chem 2010；285：33358-33370.

14) Ellis-Connell AL, et al.：Cellular microRNAs 200b and 429 regulate the Epstein-Barr virus switch between latency and lytic replication. J Virol 2010；84：10329-10343.

15) Chen Y, et al.：B Cell Receptor-Responsive miR-141 Enhances Epstein-Barr Virus Lytic Cycle via FOXO3 Inhibition. mSphere 2021；6：e00093-21.

16) Lin X, et al.：The Epstein-Barr Virus BART miRNA Cluster of the M81 Strain Modulates Multiple Functions in Primary B Cells. PLoS Pathog 2015；11：e1005344.

17) Hooykaas MJG, et al.：EBV MicroRNA BART16 Suppresses Type I IFN Signaling. J Immunol 2017；198：4062-4073.

18) Yajima M, et al.：Efficient Epstein-Barr Virus Progeny Production Mediated by Cancer-Derived LMP1 and Virally-Encoded microRNAs. Microorganisms 2019；7：119.

19) Nachmani D, et al.：Diverse herpesvirus micro-RNAs target the stress-induced immune ligand MICB to escape recognition by natural killer cells. Cell Host Microbe 2009；5：376-385.

20) Cancer Genome Atlas Research Network：Comprehensive molecular characterization of gastric adenocarcinoma. Nature 2014；513：202-209.

21) Yoon CJ, et al.：Epstein-Barr virus-encoded miR-BART5-5p upregulates PD-L1 through PIAS3/pSTAT3 modulation, worsening clinical outcomes of PD-L1-positive gastric carcinomas. Gastric Cancer 2020；23：780-795.

22) Wang J, et al.：EBV miRNAs BART11 and BART17-3p promote immune escape through the enhancer-mediated transcription of PD-L1. Nat Commun 2022；13：866.

23) Ungerleider N, et al.：EBV miRNAs are potent effectors of tumor cell transcriptome remodeling in promoting immune escape. PLoS Pathog 2021；17：e1009217.

24) Qiu J, et al.：The Epstein-Barr virus encoded BART miRNAs potentiate tumor growth in vivo. PLoS Pathog 2015；11：e1004561.

25) Kang D, et al.：EBV BART MicroRNAs Target Multiple Pro-apoptotic Cellular Genes to Promote Epithelial Cell Survival. PLoS Pathog 2015；11：e1004979.

26) Yoon JH, et al.：Epstein-Barr Virus miR-BART17-5p Promotes Migration and Anchorage-Independent Growth by Targeting Kruppel-Like Factor 2 in Gastric Cancer. Microorganisms 2020；8：258.

27) Kanda T, et al.：Clustered microRNAs of the Epstein-Barr virus cooperatively downregulate an epithelial cell-specific metastasis suppressor. J Virol 2015；89：2684-2697.

28) Kang BW, et al.：High level of viral microRNA-BART20-5p expression is associated with worse survival of patients with Epstein-Barr virus-associated gastric cancer. Oncotarget 2017；8：14988-14994.

29) Okuno Y, et al.：Defective Epstein-Barr virus in chronic active infection and haematological malignancy. Nat Microbiol 2019；4：404-413.

30) Kim H, et al.：A single nucleotide polymorphism in the BART promoter region of Epstein-Barr virus isolated from nasopharyngeal cancer cells. Biochem Biophys Res Commun 2019；520：373-378.

EBウイルス関連腫瘍における免疫治療

広島大学大学院医系科学研究科免疫学
田村結実, 保田朋波流

はじめに

Epstein-Barr ウイルス (Epstein-Barr virus：EBV) は成人の大多数が感染歴を有するが, 免疫獲得後もウイルスは細胞内に潜伏し免疫による排除を逃れる. そのため感染者では終生体内に再生能力をもったウイルスが潜在化することになる. EBV が潜伏感染する細胞は免疫監視下に置かれることで宿主免疫と潜伏感染細胞との間には均衡のとれた共生関係が成立する. しかし, EBV は本来がんウイルスであり, ゲノム異常や宿主免疫の機能破綻が生じると感染細胞はがん化する. したがって EBV 関連腫瘍においては, 宿主免疫細胞の人為的な制御や細胞療法への活用が疾患克服の鍵となる. これまでに, EBV は Burkitt リンパ腫や Hodgkin リンパ腫などの B 細胞性腫瘍と, 非 B 細胞性腫瘍である上咽頭癌 (nasopharyngeal carcinoma：NPC), NK/T リンパ腫, 乳癌, 胃癌の発症に関与していることが知られている.

免疫療法には免疫チェックポイント阻害剤をはじめとして広義には抗体療法, がんワクチン, 養子細胞療法, 遺伝子改変 T 細胞療法などがある. 免疫療法は化学療法, 手術療法, 放射線療法に加えてがん治療の主たる治療戦略の1つとして近年確立しつつある. T 細胞機能を負に制御する役割がある細胞膜分子 cytotoxic T-lymphocyte associated protein (CTLA) -4 や programmed cell death 1 (PD-1), PD-1 のリガンドである PD-1 ligand 1 (PD-L1) を標的とした免疫チェックポイント阻害剤はわが国でも 2014 年に悪性黒色腫に対して承認されて以来, 胃癌, 肺癌, 大腸癌, リンパ腫など様々な癌種に適応が広がり, 標準的な治療選択肢として成果をあげている.

EBV 関連腫瘍に対する免疫療法としては, 抗体療法, 養子免疫療法, 遺伝子改変 T 細胞療法, 免疫チェックポイント阻害剤, がんワクチンが導入されてきた. EBV 関連胃癌 (EBV-associated gastric cancer：EBVaGC) は, 正常胃粘膜組織と比較して免疫応答に関与する遺伝子発現, がん組織内のリンパ球浸潤, 腫瘍表面の免疫チェックポイント分子の発現などが比較的高いという特徴から免疫療法の効果が期待される疾患である[1]. 本項では免疫チェックポイント阻害剤を中心に, これまでの EBV 関連腫瘍における免疫療法の研究成果や EBVaGC に対しての免疫療法の応用状況などを概説する.

EBV 潜伏感染と免疫監視

EBV は標的細胞への感染あるいは再活性化時に latent membrane protein 1 (LMP1) や LMP2A など9種類のウイルス蛋白質を発現し, その宿主感染細胞は活発に増殖するようになる. その際に健常人では EBV 由来のエピトープを認識する T 細胞が活性化され免疫監視が誘導されることで感染細胞が排除を受けるようになる[2,3]. EBV 遺伝子をほとんど発現しない一部の潜伏感染細胞は T 細胞による免疫監視から逃れ体内に長期にわたり保持されるが, 臓器移植後や acquired immunodeficiency syndrome (AIDS) 患者のように T 細胞機能が著しく抑制された状態下では EBV 感染細胞が免疫監視機構を免れて異常増殖を開始し, 場合によってはがん化に至る[4,5]. このように EBV 関連腫瘍は宿主の免疫監視の破綻から始まり, 腫瘍の維持や進展には何らかの免疫回避機構が重要な役割をはたしているものと考えられる.

がん治療標的としての免疫チェックポイント分子

免疫チェックポイント分子は抗原刺激によって活性化した免疫細胞が発現し，自身の活性状態を抑制することで免疫反応を抑制に導いている重要な分子群である．本来は T 細胞の過剰な働きを抑制することで自己免疫反応や慢性炎症状態を回避するために備わっている生体機構であるが，がん細胞はこの免疫チェックポイント分子を利用することで免疫細胞による攻撃を回避し，生存を確保している．そのため免疫チェックポイント分子を標的とするがん治療では，腫瘍細胞からの抑制シグナルを阻害することで T 細胞の活性化を持続させ，がん細胞を攻撃させることを目的としている．

がんの治療標的として着目されている免疫チェックポイント分子には PD-1 や CTLA-4 だけでなく，lymphocyte activation gene-3（LAG-3），T cell immunoglobulin mucin-3（TIM-3），T-cell immunoreceptor with immunoglobulin and ITIM domains（TIGIT），B and T lymphocyte attenuator（BTLA）がある．なかでも PD-1 のリガンドである PD-L1 は様々ながん種で発現が高いことが報告されており，EBV 感染が発症に関与しているとされている NPC や EBVaGC においても PD-L1 の発現亢進が報告されている[1,6]．ここでは EBV 関連腫瘍とかかわりが深い PD-L1 や CTLA-4 を中心に，PD-L1 が EBV 関連腫瘍で発現上昇する分子機序について紹介する．

1.　CTLA-4

CTLA-4 は定常状態の T 細胞には発現されていないが，T 細胞の活性化後にエフェクター細胞に分化すると発現が誘導され，T 細胞活性化に必須な CD28-CD80/CD86（別名 B7 分子ともよばれる）経路に対して拮抗阻害する．生体内で活性化された T 細胞は通常このような自己抑制機構が働くことで活性状態を抑える方向にシフトし，免疫反応は収束に向かうことになる．抗 CTLA-4 抗体はこのような CTLA-4 の働きを阻害することで，T 細胞上の CD28 が持続的に CD80/CD86 と

結合できるようになり，T 細胞の活性化を促進することになる．加えて制御性 T 細胞上の CTLA-4 とも結合することで制御性 T 細胞を介した免疫抑制作用を封じ込める働きもある．EBV 関連腫瘍と CTLA-4 については NPC の腫瘍組織内の CTLA-4 発現が高い群では低い群に比べて全生存率の増悪と病期進行と正の相関があることが報告されており[7]，CTLA-4 阻害剤の効果が得られる可能性がある．現在，NPC に対して PD-1 阻害剤との併用療法の有効性と安全性についての臨床試験（NCT02834013）が行われている．

2.　PD-L1

EBV 関連腫瘍と PD-L1 については，2013 年に EBV 関連の B 細胞性腫瘍において PD-L1 の発現が上昇していることが報告されて以来[8]，他の EBV 関連腫瘍においてもその発現やその発現増強のメカニズムについて多数報告がされている．EBVaGC の 50％で PD-L1 の発現上昇が報告されており[1]，40 歳未満の胃癌発症例で多いことや[9]，PD-L1 の発現上昇と遠隔転移などの予後不良因子が相関しているという報告があり[10]，PD-L1 は治療標的として重要な位置を占める．

EBV 関連腫瘍における PD-L1 発現上昇メカニズムを図 1 に示す．腫瘍細胞における PD-L1 の発現増幅の機序としておもに PD-L1 のゲノム増幅や転写活性化[11]，3′側非翻訳領域の構造異常[12]，転写後翻訳制御[13-15] が報告されている．EBV 関連腫瘍では腫瘍浸潤リンパ球（tumor infiltrating lymphocyte：TIL）により分泌される interferon（IFN）-γ，EBV 由来の膜型蛋白質である LMP1 や核蛋白質である EBV determined nuclear antigen 1（EBNA1）が JAK/STAT シグナル伝達経路の促進を介して PD-L1 発現を上方制御していることが報告されている[6]．EBV 感染細胞が産生する小 RNA である EBV encorded small RNAs（EBERs）や病原体関連分子パターン（pathogen-associated molecular patterns：PAMPs）がインターフェロン受容体を刺激し PD-L1 の発現亢進に働く[13]．EBV 由来の膜型蛋白質である LMP2A が DNA メチル化により

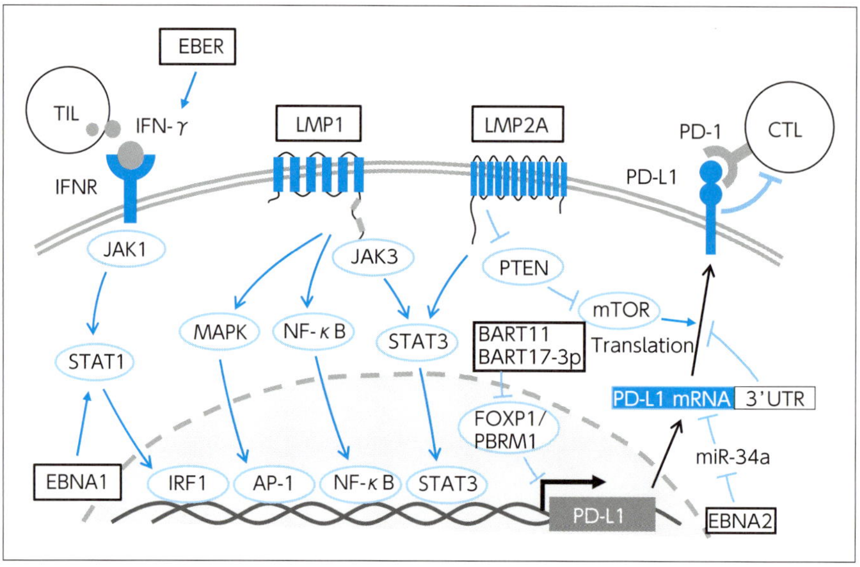

図1　EBV 関連腫瘍における PD-L1 発現を亢進させる分子機序

腫瘍細胞でこれまで知られている PD-L1 の発現増幅のおもな機序として，ゲノムレベルでの遺伝子増幅，転写因子制御による mRNA 亢進，3′側非翻訳領域の構造異常による翻訳亢進，mTOR 活性化による翻訳亢進，microRNA の抑制による蛋白質亢進などがある．EBV 関連腫瘍で知られている PD-L1 の増幅経路を細胞膜，細胞質，核内蛋白質の局在とともに図示している．促進経路を➡️で，抑制経路を⊣で示している．また EBV 由来の蛋白質は□□で囲った
TIL：tumor infiltrating lymphocyte，CTL：cytotoxic T lymphocyte，IFNR：interferon receptor

phosphatase and tensin homolog（PTEN）を負に制御することで PD-L1 の転写を促進しているという報告[15]や EBV の microRNA である BamHI A rightward transcripts（BARTs）が PD-L1 のエンハンサーを制御することで PD-L1 の上昇に関与しているという報告[16]もあり，EBV 関連腫瘍における PD-L1 の発現上昇機序には EBV に由来する様々な分子が関与していることが明らかになっている．

EBV 関連腫瘍における免疫チェックポイント阻害剤

EBV 関連腫瘍に適応がある免疫チェックポイント阻害剤は PD-1 を標的とするペムブロリズマブとニボルマブである（表1）．わが国で EBVaGC を含む胃癌に対して認可がおりているものはニボルマブのみである．ペムブロリズマブについては，KEYNOTE-059 トライアルで PD-L1 高発現の胃癌に対しての有効性が示され 2017 年に FDA で承

表1　EBV 関連腫瘍に承認されている免疫チェックポイント阻害剤

一般名	癌の種類	承認年	参考文献
ペムブロリズマブ	上咽頭癌	2016	17)
		2019	18)
	胃癌	2017	19)
	Hodgkin リンパ腫	2017	20)
ニボルマブ	上咽頭癌	2016	21)
	胃癌	2017	22)
		2021	23)
	Hodgkin リンパ腫	2016	24)

認され海外では使用されている．しかし，その後の Keynote-062 トライアルで PD-L1 陽性の進行胃腺癌に対しての初回治療としてペムブロリズマブ単独療法または化学療法との併用療法を評価する国際共同第Ⅲ相試験の結果，化学療法に対して統計学的に有意な全生存期間の改善を認めなかったことから，わが国ではがん化学療法後に増悪し

た進行・再発の高度マイクロサテライト不安定性を有する症例に限り適応がある．一方，PD-L1 を標的とするアベルマブは JAVELIN Gastric 300，JAVELIN Gastric 100 で胃癌を対象とした臨床試験が行われたが，いずれも有効性は示されなかった．しかし，再発難治の EBV 関連胃癌で有効であったという症例報告もあり[25]，今後 EBVaGC に対するアベルマブの有効性についてはさらなる検討が必要である．世界的には既存の免疫チェックポイント阻害剤の EBV 関連腫瘍に対する有効性と安全性を評価するための臨床試験が多数行われており，これらの結果を注視したい．

EBV 関連腫瘍における特異的 T 細胞療法

1. 養子 T 細胞療法

　EBV 特異的細胞傷害性 T リンパ球を輸注する養子免疫療法は EBV 関連疾患に対して従来から行われてきた．体外で刺激し増やした EBV 特異的 T 細胞を投与することで EBV 感染腫瘍を排除しようとする治療方法であるが，発現している EBV 蛋白質が限定されるリンパ腫に対しても高い有効性が示されている．治療抵抗性の EBVaGC と節外性 NK/T リンパ腫を対象に LMP2A 由来ペプチドで増幅した EBV 特異的 CD8 陽性 T 細胞輸注療法の第 I/II 相臨床試験（NCT03789617）や EBV 関連腫瘍を対象に CRISPR-Cas9 で PD-1 をノックアウトした EBV 特異的細胞障害性 T 細胞を輸注する治療法の第 I/II 相臨床試験も行われている（NCT 03044743）．

2. EBV 特異的 TCR 改変 T 細胞療法

　がん抗原に特異的な T 細胞受容体（T cell receptor：TCR）を人工的に組み込んだ T 細胞を用いる細胞療法は，E7 抗原を標的とするヒトパピローマウイルス（human papillomavirus：HPV）関連癌の治療などでも実績があり有効性が期待される[26]．まだ動物実験の段階であるが，LMP2 特異的な TCR を導入した T 細胞を用いた研究では，ヌードマウスに移植された LMP2 を発現す

る NPC 細胞株の腫瘍進行を有意に抑制した[27]．LMP1 を認識する TCR でも同様の結果が観察されており，LMP1 特異的 TCR を導入された T 細胞は，LMP1 発現腫瘍細胞が移植された免疫不全マウスの生存率をあげることが確認されている[28]．現在，LMP2 特異的 TCR 発現 T 細胞の再発転移 NPC に対しての臨床試験が進行中である（NCT03925896）．

3. EBV 特異的 CAR-T 細胞療法

　CD19 などの細胞表面分子を標的とするキメラ抗原受容体（chimericantigen receptor：CAR）を発現する T 細胞を用いる CAR-T 細胞療法は白血病やリンパ腫の治療で有効性が示されている．EBV 関連腫瘍に対して CAR-T 細胞を治療応用する試みは報告が少ないなかで LMP1 を標的とする CAR-T 細胞が開発されており，LMP1 を発現する NPC ではその増殖を顕著に抑制することが示されている[29]．

今後の展望と課題

　以上，EBV 関連腫瘍に対する免疫療法について EBVaGC に対する免疫チェックポイント阻害剤を中心に述べた．免疫療法はがん治療に革新的な進歩をもたらした一方で，免疫チェックポイント阻害剤の使用によって逆に腫瘍増大（hyperprogressive disease：HPD）を引き起こす事例，自己免疫疾患症状が起こる免疫関連有害事象（immune-related adverse event：irAE），長期使用による耐性の問題などが明らかになりつつあり，これら irAE の予防や適応症例の適切な選定が今後の課題である．HPD は免疫チェックポイント阻害剤を開始後に腫瘍が急速に増大する現象である[30]．HPD の発症機序については諸説提唱されているものの，原因についてはよくわかっていない．自己免疫疾患症状は非特異的な免疫活性化による無症候自己免疫反応の顕在化や疲弊 T 細胞の再活性化などによるものである．加えて，免疫チェックポイント阻害剤の奏効率が依然として低いレベルにあることも課題として残っている．単独では十分な治療効果が得られない症例に対して

化学療法や他の免疫療法との併用で効果が期待できることもあり，多くの臨床試験が行われている．免疫療法をより安全に，かつ効果を最大限に発揮させるためには，免疫療法の耐性獲得や副作用にかかわる分子学的な機序の解明および臨床試験の蓄積による治療適応の最適化が必要である．

　宿主免疫との関係が重要な EBV 関連腫瘍は，既存治療に免疫療法を併用することで治療成績の向上が期待できる疾患である．EBV 感染細胞が免疫原性を獲得する分子機序や，それらに対し細胞傷害活性を発揮する免疫細胞の理解を深めることで，新たな治療標的の発見や治療法の開発が今後も期待される．

文 献

1) Cancer Genome Atlas Research Network : Comprehensive molecular characterization of gastric adenocarcinoma. Nature 2014 ; 513 : 202-209.
2) Hislop AD, et al. : Cellular responses to viral infection in humans : lessons from Epstein-Barr virus. Annu Rev Immunol 2007 ; 25 : 587-617.
3) Zhang B, et al. : Immune surveillance and therapy of lymphomas driven by Epstein-Barr virus protein LMP1 in a mouse model. Cell 2012 ; 148 : 739-751.
4) Huang S, et al. : Pathologically Relevant Mouse Models for Epstein-Barr Virus-Associated B Cell Lymphoma. Front Immunol 2021 ; 12 : 639844.
5) Kuppers R : B cells under influence : transformation of B cells by Epstein-Barr virus. Nat Rev Immunol 2003 ; 3 : 801-812.
6) Fang W, et al. : EBV-driven LMP1 and IFN-γ up-regulate PD-L1 in nasopharyngeal carcinoma : Implications for oncotargeted therapy. Oncotarget 2014 ; 5 : 12189-12202.
7) Haung PY, et al. : Tumor CTLA-4 overexpression predicts poor survival in patients with nasopharyngeal carcinoma. Oncotarget 2017 ; 7 : 13060-13068.
8) Chen BJ, et al. : PD-L1 expression is characteristic of a subset of aggressive B-cell lymphomas and virus-associated malignancies. Clin Cancer Res 2013 ; 19 : 3462-3473.
9) Moore A, et al. : Young-onset gastric cancer and Epstein-Barr Virus（EBV）-a major player in the pathogenesis? BMC Cancer 2020 ; 20 : 34.
10) Saito R, et al. : Overexpression and gene amplification of PD-L1 in cancer cells and PD-L1 ⁺ immune cells in Epstein-Barr virus-associated gastric cancer : the prognostic implications. Mod Pathol 2017 ; 30 : 427-439.
11) Budczies J, et al. : Pan-cancer analysis of copy number changes in programmed death-ligand 1（PD-L1, CD274）-associations with gene expression, mutational load, and survival. Genes Chromosomes Cancer 2016 ; 55 : 626-639.
12) Kataoka K, et al. : Aberrant PD-L1 expression through 3'-UTR disruption in multiple cancers. Nature 2016 ; 534 : 402-406.
13) Nakano H, et al. : PD-L1 overexpression in EBV-positive gastric cancer is caused by unique genomic or epigenomic mechanisms. Sci Rep 2021 ; 1 : 1982.
14) Hino R, et al. : Activation of DNA methyltransferase 1 by EBV latent membrane protein 2A leads to promoter hypermethylation of PTEN gene in gastric carcinoma. Cancer Res 2009 ; 69 : 2766-2774.
15) Anastasiadou E, et al. : Epstein-Barr virus-encoded EBNA2 alters immune checkpoint PD-L1 expression by downregulating miR-34a in B-cell lymphomas. Leukemia 2019 ; 33 : 132-147.
16) Wang J, et al. : EBV miRNAs BART11 and BART17-3p promote immune escape through the enhancer-mediated transcription of PD-L1. Nat Commun 2022 ; 13 : 866.
17) Hsu C, et al. : Safety and antitumor activity of pembrolizumab in patients with programmed death-ligand 1-positive nasopharyngeal carcinoma : results of the KEYNOTE-028 study. J Clin Oncol 2017 ; 35 : 4050-4056.
18) Burtness B, et al. : Pembrolizumab alone or with chemotherapy versus cetuximab with chemotherapy for recurrent or metastatic squamous cell carcinoma of the head and neck（KEYNOTE-048）: a randomized, open-label, phase 3 study. Lancet 2019 ; 394 : 1915-1928.
19) Fuchs CS, et al. : Safety and efficacy of pembrolizumab monotherapy in patients with previously treated advanced gastric and gastroesophageal junction cancer : phase 2 clinical KEYNOTE-059 trial. JAMA Oncol 2018 ; 5 : e180013.
20) Chen R, et al. : Phase II study of the efficacy and safety of pembrolizumab for relapsed/refractory classic Hodgkin lymphoma. J Clin Oncol 2017 ; 19 :

2125-2132.

21) Ferris RL, et al.：Nivolumab for recurrent squamous-cell carcinoma of the head and neck. N Engl J Med 2016；375：1856-1867.

22) Kang YK, et al.：Nivolumab in patients with advanced gastric or gastro-oesophageal junction cancer refractory to, or intolerant of, at least two previous chemotherapy regimens（ONO-4538-12, ATTRACTION-2）：a randomized, double-blind, placebo-controlled, phase 3 trial. Lancet 2017；390：2461-2471.

23) Janjigian YY, et al.：First-line nivolumab plus chemotherapy versus chemotherapy alone for advanced gastric, gastro-oesophageal junction, and oesophageal adenocarcinoma（CheckMate 649）：a randomized, open-label, phase 3 trial. Lancet 2021；398：27-40.

24) Armand P, et al.：Nivolumab for relapsed/refractory classical Hodgkin lymphoma after failure of autologous hematopoietic cell transplantation：extended follow-up of the multicohort single-arm phase II CheckMate 205 trial. J Clin Oncol 2018；36：1428-1439.

25) Panda A, et al.：Immune activation and benefit from Avelumab in EBV-positive gastric cancer. JNCI Natl Cancer Inst 2018；110：316-320.

26) Nagarsheth NB, et al.：TCR-engineered T cells targeting E7 for patients with metastatic HPV-associated epithelial cancers. Nat Med 2021；27：419-425.

27) Zheng Y, et al.：Human Leukocyte Antigen（HLA）A*1101-Restricted Epstein-Barr Virus-Specific T-cell Receptor Gene Transfer to Target Nasopharyngeal Carcinoma. Cancer Immunol Res 2015；3：1138-1147.

28) Cho HI, et al.：A novel Epstein-Barr virus-latent membrane protein-1-specific T-cell receptor for TCR gene therapy. Br J Cancer 2018；118：534-545.

29) Tang X, et al.：T cells expressing a LMP1-specific chimeric antigen receptor mediate antitumor effects against LMP1-positive nasopharyngeal carcinoma cells in vitro and in vivo. J Biomed Res 2014；28：468-475.

30) Shen P, et al.：Hyperprogressive disease in cancers treated with immune checkpoint inhibitors. Front Pharmacol 2021；12：678409.

おわりに

　本書では，筆者の皆さまにより，編集者らの認識の及ぶ限りのEBウイルス関連胃癌に関する知見をお示しいただきました．編集者らは，立場上，本書の最初の読者となる機会を得ました．本書の読後には，執筆いただきました研究者の皆さまの素晴らしいご努力により，よくわからない存在であったEBウイルス関連胃癌の全貌が眼前に姿を現し，圧倒される思いです．

　編集者らがEBウイルス関連胃癌の臨床像を探る過程では，恩師である故・竹本忠良山口大学名誉教授が慢性萎縮性胃炎の木村—竹本分類によりEBウイルス関連胃癌発生の道筋をお示しくださったように感じられました．また，髙田賢藏北海道大学名誉教授に連なるウイルス学の皆さまは，B細胞が中心のEBウイルス研究の対象としては特異な上皮細胞腫瘍である胃癌の研究においてB細胞から胃上皮細胞へのEBウイルス感染系の確立をはじめとして多くの業績をお示しくださいました．臨床と基礎を総括する病理の分野で粘り強く探求をいただきました大きな存在であられる深山正久東京大学名誉教授は，御教室の皆さまの業績や金田篤志千葉大学教授によるEBウイルス関連胃癌におけるメチル化の全体像の解明を包含し，大きく「EBウイルス関連胃癌の炎症・感染・発がんシーケンス」の概念をご提示くださいました．

　そして何よりも，東京大学消化器内科学や国立がん研究センター東病院消化器内科の皆さまから，最先端の胃癌治療におけるEBウイルス関連胃癌の位置づけをお示しいただきましたことは，私たちがこれまでEBウイルス関連胃癌についてごくごく小さな検討を積み重ねてきましたことが，いよいよ臨床の場で胃癌に悩む患者さんの医療に多少とも役立つ日がくることを予感させ，感無量です．NIHの小林隆久先生の光免疫療法の特別寄稿は，人に笑われる夢物語であった「手術不能進行胃癌の内視鏡的治療」の対象としてのEBウイルス関連胃癌の可能性をご示唆いただくもので，編集者ら自身の臨床・基礎の全ての背景がここに統合される不思議さを感じています．

　本書がこれから胃癌の臨床や腫瘍の基礎に挑む読者の皆さまの跳躍台の役目を果たし，読者の皆さまが医学の更に遥かな高みへと進んでいかれますことを，編集者一同，心より願っております．

　最後に，本書の作成に多大なご助力をいただきました株式会社診断と治療社の皆さまに，心より感謝申し上げます．

2022年9月

編集者を代表して：
国立病院機構関門医療センター臨床研究部

柳井秀雄

索　引

和文

●あ行
胃オルガノイド　66
萎縮性胃粘膜　64
移植後リンパ増殖性疾患(PTLD)　82
一次治療　44
ウイルスコピー数　65
疫学研究　11
エクソソーム　67
エピゲノム異常　74
炎症　70
炎症，感染，発がん　62

●か行
化学療法　52
環境要因　11
感染効率　66
癌胎児性抗原　57
組換え EBV　69
クローナリティ　62
光線力学療法　55
抗体 - 光感受性物質複合体　54

●さ行
細胞接着因子　18
サブタイプ　12
残胃　22
持続的増殖　90
腫瘍免疫環境　18
上咽頭癌(NPC)　81
上皮間葉転換　66，72
生存期間(OS)　44
潜伏感染遺伝子発現様式　86，87，88
組織像　15

●た行
第 19 回国際 EBV シンポジウム　80
脱メチル化剤　51

多発性硬化症　84
男女比　11
超音波内視鏡　22

●な行
内視鏡的粘膜下層剥離術(ESD)　40
肉眼像　14
二次治療　45
粘液形質　16
粘膜下腫瘍　22
粘膜内癌　64
膿胸関連リンパ腫　4

●は行
微小環境　67
鼻性 NK/T 細胞リンパ腫(NNKTCL)　81
標準治療　44
日和見 B 細胞性リンパ腫　3
ピロリ菌　31，71
ピロリ菌胃炎　6
分子機序による胃癌分類　62
ポリコーム抑制複合体　75

●ま行
慢性萎縮性胃炎　32
慢性活動性 EBV 感染症(CAEBV)　81
無増悪生存期間(PFS)　44
免疫監視　100
免疫原性細胞死　55
免疫チェックポイント阻害剤　46，50
免疫チェックポイント分子　101

●や行
養子免疫療法　103

●ら行
隆起　22
リンパ芽球様細胞株(LCL)　84，85，86，90
リンパ球浸潤癌(CLS)　15，22

欧文

● A・B

Akata 細胞　85

ARID1A　64

B リンパ球不死化　90

B95-8 細胞　85, 88

BART（BamHI A rightward transcripts）　95

BHRF1（BamHI H rightward fragment 1）　95

BL（Burkitt lymphoma）　4, 80, 85, 86, 87

Burkitt リンパ腫（BL）　4, 80, 85, 86, 87

● C・D

CAEBV（chronic active EBV infection）　81

CagA 蛋白　66

CD10　16

CDH-17　57

cell to cell 感染　68

CLDN18.2　18

CLS（carcinoma with lymphoid stroma）　22

CpG アイランド　74

CpG 配列　74

DNA メチル化　74

● E

E-cadherin　18

EBER（EBV-encoded small RNA）　92

EBER1（EBV encoded small RNA1）　2, 21

EBER-ISH　64

EBNA（EBV-determined nuclear antigen）　91

EBVaGC（EBV-associated gastric cancer）
　2, 21, 40, 50, 102

EBV 関連胃癌（EBVaGC）　2, 21, 40, 50, 102

EBV 関連腫瘍　101

EBV コレセプター　71

EBV の増殖活性化　70

EBV ワクチン　52

EGFR　56

Epstein-Barr ウイルス　80, 100

ESD（endoscopic submucosal dissection）　40, 42

● H・I

HER2　57

HL（Hodgkin lymphoma）　4, 80

HLA class I　19

Hodgkin リンパ腫（HL）　4, 80

ISH（*in situ* hybridization）　21

● L・M

lace pattern　15

LCL（lymphoblastoid cell line）　84, 85, 86, 90

LMP（latent membrane protein）　92

LMP2A　66

miR200　66

miRNA（microRNA）　66, 93, 95

MLH1　67, 75, 76

MUC2　16

MUC5AC　16

MUC6　16

● N・O・P

NBI 拡大観察　34

NNKTCL（nasal NK/T-cell lymphoma）　81

NPC（nasopharyngeal carcinoma）　81

OS（overall survival）　44

PD-L1　18, 65, 101

PFS（progression-free survival）　44

pT1b-EBVaGC　41, 42

PTLD（post-transplant lymphoproliferative
　disorder）　82

● T・W

TP53　64

Wp 拘束型潜伏感染　87, 88

EB ウイルス関連胃癌　改訂第2版　　　ISBN978-4-7878-2569-8

2022年11月10日　改訂第2版第1刷発行

2016年8月10日　初版第1刷発行

編　　　集	柳井秀雄，西川　潤，吉山裕規
発　行　者	藤実彰一
発　行　所	株式会社　診断と治療社
	〒100-0014　東京都千代田区永田町2-14-2　山王グランドビル4階
	TEL：03-3580-2750（編集）　03-3580-2770（営業）
	FAX：03-3580-2776
	E-mail：hen@shindan.co.jp（編集）
	eigyobu@shindan.co.jp（営業）
	URL：http://www.shindan.co.jp/
表紙デザイン	株式会社ジェイアイプラス
イラスト	小牧良次（イオジン）
印刷・製本	日本ハイコム株式会社

© 株式会社　診断と治療社, 2022. Printed in Japan.　　　　　　　　　　　[検印省略]
乱丁・落丁の場合はお取り替えいたします.